JN117256

iPad 仕事術!

SPECIAL 2024

CONTENTS

イントロダクション

10 .... 現在のiPadのラインナップはこれ!

14 .... Apple Pencil Pro ファーストインプレッション

特集
絶対必見!
Goodnotes 6の
超便利ワザ、大集結!!

16 ....

18 .... 超便利なペンのジェスチャーをもう一度おさらいしておこう!/急ぎのメモはとりあえずクイックノートにメモ!

19 .... ノート、フォルダは色を変えたりアイコンをつけて区別しよう!/ノートの大きさは自由に変えられる!定形以外もOK!

20 .... ストローク消しゴムで可能な便利テクニックを覚えよう!/白のペンを有効利用!不要な部分を消していこう

21 .... 蛍光ペンのみ消去することもできる!/投げ縄ツールで囲った部分だけスクリーンショットをとろう!

22 .... Goodnotes 6はプレゼンにもバッチリ使える!/手書きの際、漢字がわからないときはテキストツールを使う!

23 .... GN6上のカメラなら作成中のノートにすぐ写真を置ける!/スキャン機能を使えば書類を即座にデジタル化できる!

24 .... 付箋とテキストを一体化させて一緒に動かすことができる!/Split Viewを使って行うと便利な作業がある!

25 .... Goodnotes 6上の背景画像はフリーハンドで切り抜こう!/GN6の上部メニューを隠してノートを広くして使いたい!

26 .... ページ数の多いノートは間に区切りのノートを入れよう!/ブラウザ経由で複数人にノートを見せることができる!

27 .... 別のノートへのリンク、またはWebへのリンクを入れよう!/忘れがちなテクニックの代表!破線、点線も書ける!

28 .... 自分の好きなカラーコードを考えてみよう!/録音しているときは、切れ目でインデックス用のメモをとろう!

29 .... 自分にとってもっとも書きやすいテンプレートを作る!/Goodnotes 6標準のテンプレートをもっと活用しよう!

30 .... 新規のビジュアル要素を自分で作ってみよう!/資料の表紙などに手書きを加えて説得力を出そう!

31 .... 更新した書類は自動でクラウドにバックアップしよう!/室内が暗いイベント会場などではダークモードを使おう!

Cardflow+ by Crayon

32 ....

34 .... Cardflowはこんなアプリ!カード形式で情報を完璧に整理しよう!

35 .... 新規でボードを作成してみよう①

36 .... 新規でボードを作成してみよう②

37 .... こんな用途に使うのが最適!

38 .... カードはかなりキメ細かく作成、編集できる!

39 .... 「add link」機能でマインドマップのように使うことも!

40──────**メモ**
42──────手書き機能の使い方をおさらいしておこう
43──────ギッシリと書いた手書きメモにも余白を作ることができる!
44──────メモアプリに画像を貼っていろいろな用途に活用する
45──────メモアプリにPDFを貼っていろいろな用途に活用する
46──────ノート内でのリンクを使って緻密なメモを作成できる!
47──────Split Viewだけじゃない!複数ウインドウでメモを確認しよう
48──────メモの管理方法は超多彩!タグとスマートフォルダがおすすめ

49──────**おすすめ手書きアプリSELECTION!!!**
50──────Limeboard
52──────Keynote
54──────ノート+
56──────Nebo
58──────Frexcil
60──────Noteshelf 3
62──────Notability
64──────CollaNote
66──────Noteful
68──────Adobe Acrobat Reader
70──────PDF Expert
72──────Note Always PDF
74──────フリーボード
76──────FigJam
78──────Microsoft OneNote
80──────Google Keep

カレンダーアプリ徹底対決!
86──────**AJournal vs Pencil Planner**
84──────既存カレンダーとの同期性能は?
86──────予定入力のしやすさは?
88──────ビュー切り替えの快適性は?
90──────手書き機能の操作性は?
92──────マストとなるスケジューラーは?

94──────**手書きノート　超実践的!!テクニック**
95──────販促素材に手書きを入れて、アピール感を上げる!
95──────イベント用のカンペを作成して現場で活用する!
96──────テキストのスクリーンショットを撮り、指示を書き込む
97──────カレンダー画像のスクショを撮って長期的な予定を考える
98──────重要事項がひとめでわかるスケジュール表を作る!
99──────テープ起こしはノートを最大限に拡大した状態で始めよう!

100──────**Canva**
102──────はじめてのCanva入門　Canvaの基本操作をチェック!
103──────Canvaを使うなら必須の便利テクニックはこれ!
104──────CanvaのAI生成機能①「マジック切り抜き」
105──────CanvaのAI生成機能②「マジック拡張」
106──────CanvaのAI生成機能③「カラー調整」
107──────CanvaのAI生成機能④「マジック加工」
108──────CanvaのAI生成機能⑤イラストから画像を生成できる!
109──────Canvaでも手書き描画の機能はバッチリ使える!

撮影協力/JADE'R TOKYO(ジャデルトウキョウ)

cover model/琴
photo/鈴木文彦(snap!)
撮影協力/JADE'R TOKYO(ジャデルトウキョウ)

iPad
仕事術！
SPECIAL 2024

model/琴
photo/鈴木文彦（snap!）
撮影協力/JADE'R TOKYO（ジャデルトウキョウ）

iPadとApple Pencilは
究極の思考ツール!

純粋にテキストを入力するだけならば、パソコンを使ってキーボードで入力するのが最速です。頭の中に考えがしっかりとまとまっているなら、それを順番に出していけばいいのです。

しかし、頭の中にうっすらと浮かんではいるものの、漫然としていて、形になりにくいアイデア……それはキーボードで入力していってもはっきりとした方向性を見出すこともできず、単なるメモどまりになってしまうことも多いでしょう。

そんなときこそ、iPadとApple Pencilの出番です。とりあえず思い浮かんだキーワードを手書きして、キーワード同士の関係性や共通点、もっとも重要なものはなにか、などを絞り込んでいけばよいのです。書き込んだものの位置や大きさ、色を自由に変え、存分に頭の中を整理することができます。

本書では、iPadの多数の機能の中でも「手書き」を中心にして、手書きの効果を最大限に活用できるツールや方法を紹介しています。手書きの効能を享受して、ついつい物事の「処理」に追われてしまう毎日に、少しずつでも深い思考を取り入れていきませんか!

最新モデルのiPadが登場! 妥協なく機能やスペックが追求された
2機種を中心に、自分にあった機種を考えよう!

現在のiPadの
ラインナップはこれ!

最新のiPad ProとAirが登場!
どちらも凄いモデルだ!

2024年5月、最新のM4チップを搭載したiPad Proと、M2チップを搭載したiPad Airが発売された。どちらも新たな特徴を備えた非常に魅力的な機種となっているが、特にiPad Proは、Macのシリーズにもまだ使われていない「M4」チップを搭載し、ボディも薄く軽くなり、ディスプレイには有機ELを採用!という前代未聞のハイエンドモデルとなっている。

価格は壮絶に高いが、それに負けない魅力を備えた究極の「iPad Pro」!

誰もが感じるであろう「M4チップ!?iPadにそこまでのスペックって必要なの!?」という印象に対する回答……とい

うほどでもないのだが、いきなりちょっと小難しい話をすると、Proモデルの大きな目玉である超高画質な「Ultra Retina XDRディスプレイ」は、OLED(有機EL)パネルを2枚使用して(タンデムOLED)、通常、輝度を上げにくい性質の有機ELパネルを最大1,000〜1,600ニトまで持ち上

げられる機能だ。2つのOLEDを上手く制御して発光させることで、超高画質ディスプレイを実現できるという。パフォーマンスと電力効率が飛躍的に向上した今回のM4チップは、このタンデムOLEDを制御できるディスプレイ回路を初めて搭載しており、それによって有機ELの美しい

究極のハイエンドマシン!
iPad Pro M4
11インチ:168,800円〜
13インチ:218,800円〜

iPad Pro M4モデルのスペック

ディスプレイ	Ultra Retina XDR(タンデムOLED)
解像度	2,752×2,064ピクセル(264ppi)(13インチ) 2,420×1,688ピクセル(264ppi)(11インチ)
リフレッシュレート	120Hz(ProMotion)
CPU	M4(最大10コア)
GPU	10コア
メモリ	8GB
アウトカメラ	12MP広角
インカメラ	12MP超広角TrueDepthカメラ(横向き)
ポート	Thunderbolt/USB 4対応USB-C
認証	Face ID
スピーカー	4つ
マイク	4つ(スタジオ品質)
Wi-Fi	Wi-Fi 6E
対応Pencil	Apple Pencil Pro、Apple pencil(USB-C)
対応キーボード	iPad Pro(M4)用Magic Keyboard
バッテリー持続時間	10時間
ストレージ	256GB、512GB、1TB、2TB
重量	579g(13インチ、Wi-Fiモデル) 444g(11インチ、Wi-Fiモデル)
価格	218,800円から(13インチ) 168,800円から(11インチ)

軽さと、脅威の処理速度を両立させた、現在最強のiPad。120HzのProMotionで、Apple Pencil Proの能力を最大限に発揮できる。標準的なモデルも凄いのだが、1TB、2TBモデルになると、CPUが9→10コアとなり、メモリが8→16GBとなり、より最強となる(Nano-textureガラスも選択可能となる)。

画面を実現することができた。

つまり、何がいいたいかというと、最新のタンデムOLEDとM4チップは密接な関係があり、意味なくハイエンドなチップを搭載したわけではなかった……ということだ。また、背面のリンゴマークを銅にすることで、放熱効果を上げるなど（13インチモデル）、薄いボディにするための斬新なアイデアも盛り込まれている。

このような細かい開発上の多くの工夫があるせいもあり、このiPad Proは、近年のApple機器にはあまり感じられなかった「必要じゃないけど、欲しい！」という気分を味あわせてくれる、とてもロマンに満ちた機種となっている。

11インチモデルが168,000円から、13インチモデルになると218,800円からと非常に高価だが、驚異的なディスプレイ、Macの最新チップである「M3」を超えた処理速度を誇るM4チップ、格段に機能が向上したApple Pencil Proを使える（14ページで詳しく紹介）、iPad Proシリーズで最軽量を誇るボディ……それらを堪能したい人なら充分に検討に値する機種である（初めてiPadを買う人にはさすがにおすすめできないが！）。現状で、明確な利用方法のイメージができない人は、次の

iPadOSのアップデートまで待てば、見えてくるものがあるかもしれないので、あせらず待つのもいいだろう。

13インチモデルでは、5.1mmという薄さを実現。先代モデルは6.4mmだったため、1.3mmも薄くなっている！

現在、iPadに求められることはほぼなんでも完璧にこなせる！優等生な「iPad Air」！

ずっと10.9インチサイズだけの展開だったAirシリーズに13インチモデルがついに登場！というニュースもあり、とても魅力的な機種となったのが「iPad Air」だ。細かく見ていけば、Proシリーズとの違いは多く存在したりもするが、最新のApple Pencil Proを、Proモデルと同等に使うことができ、CPUも「M2」チップを採用しており充分な処理速度、フロントカメラは横向きに対応……と、現在iPadを使うユーザーのほとんどが満足できる仕様となっている。価格も、これだけの機能を備えて、98,800円から購入可能なのはコスパに優れているといってもいいだろう。ストレージのスタートが128GBになっている

のも良心的だ。

ブラウジングやメールなどの日常的な利用はもちろん、グラフィック制作、動画編集、外付けディスプレイを使ってのさまざま利用、MacBookのように使うなど、多くの利用目的に問題なく対応できる機種となっている。

iPad Proほどのスペックはいらないが、大きい画面が欲しい！という声に応えた、待望の13インチAir。とはいえ、ほぼProモデルといっていいスペックになっているが！

さらなる進化はまだ先だが、独自の魅力は消えることがない「iPad mini（第6世代）」！

8.3インチの画面で、重量はわずか293g！と、コンパクトさでは圧倒的な優位を誇る唯一無二のiPad mini。一般的なiPadと、スマホの中間ぐらいの大きさのため、スマホと同様に常時携帯している人も多く、「miniじゃないと無理！」というファンも多い機種だ。

小さいボディながら、フルラミネーショ

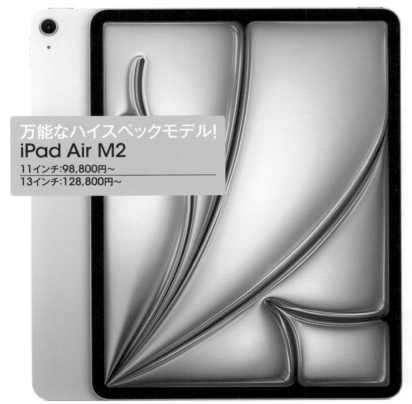

万能なハイスペックモデル！
iPad Air M2
11インチ：98,800円〜
13インチ：128,800円〜

iPad Air M2モデルのスペック

ディスプレイ	Liquid Retinaディスプレイ
解像度	2,732×2,048ピクセル（264ppi）（13インチ）
	2,360×1,640ピクセル（264ppi）（11インチ）
リフレッシュレート	60Hz
CPU	M2（8コア）
GPU	10コア
メモリ	8GB
アウトカメラ	12MP広角
インカメラ	12MP超広角カメラ（横向き）
ポート	USB-Cコネクタ
認証	Touch ID
スピーカー	低音が2倍の2つのスピーカー（13インチ）
	2つのスピーカー（11インチ）
マイク	2つ
wi-Fi	Wi-Fi 6E
対応Pencil	Apple Pencil Pro、Apple pencil（USB-C）
対応キーボード	Magic Keyboard
バッテリー持続時間	10時間
ストレージ	128GB、256GB、512GB、1TB
重量	617g（13インチ、Wi-Fiモデル）
	462g（11インチ、Wi-Fiモデル）
価格	128,800円から（13インチ）
	98,800円から（11インチ）

Pencilのホバー機能も使えるようになり、前バージョンのProモデルのような存在となったAir。チップがM4→M2、リフレッシュレートが120→60Hz、ポートがThunderboltでなくUSB-C、などProとの違いはあるが、Apple Pencil Proが使え、ほとんどのハイスペックな要求にも応えてくれるだろう。

ン。ディスプレイ（画面と筐体の距離が少ない）であり、第2世代のApple Pencilが使えるので、手書きの便利さを味わうこともできる。小さなバッグに入れて常時持ち運び、思いついたときにいつでも取り出して使う、ということが最も気軽にできるiPadだ。2021年発売の機種であり、スペック的には今はやや厳しく感じるが、日常的な利用はもちろん問題なく行え、重くないものなら動画編集も行える。

この持ち方が可能なのは、iPad miniのみ。第7世代がいつ、どのように登場するか、とても楽しみだ。

オールディスプレイ・デザインのiPadをもっとも安く買うならこの「無印iPad（第10世代）」!

10.9インチでホームボタンのないスマートなデザイン、一般的な用途ならまったく問題のないA14 Bionicチップを備えたこの機種は、当時人気の高かったiPad Air（第4世代）がベースとなった機種だ。iPad

の入門機種として不動の人気を誇った無印iPad（第9世代）が販売終了となった今、ひとまず価格が安く、手書きも使えるiPadとしてはおすすめできる機種である。充電方法が特殊なため、第2世代のApple Pencilが使えないデメリットを除けば、対応キーボードもこの機種専用の「Magic Keyboard Folio」があり、フロントカメラが横向きな点も魅力的だ。

ただ、整備品や中古品に抵抗がない人なら、ほぼ同スペックながら、第10世代iPadのデメリットを補う形で、第2世代のApple Pencilが使え、フルラミネーション・ディスプレイを搭載、USB-Cコネクタの接続も比較的高速であるiPad Air（第4世代）の中古を狙う、というのもおすすめだ。

第10世代の無印iPadを使うなら、Apple Pencilは写真の「Apple pencil（USB-C）」がおすすめだ。第1世代Apple Pencilは充電の仕方が大変!

中古を扱うショップやAppleの整備品を狙うのももちろんOK!

現在発売が終了したモデルにも、先に触れたiPad Air（第4世代）など、優れたiPadのモデルは多数存在するので、中古品やApple認定の整備品、未使用品などを考えるのもいいだろう。おすすめの機種としては、

● 無印iPad（第9世代・64GBモデル）……中古品の相場4万～4万8千円
● iPad Air（第4世代・64GBモデル）……中古品の相場5万5千～6万円
● iPad Air（第5世代・M1 64GBモデル）……中古品の相場6万5千～7万5千円
● iPad Pro（第3世代 11インチ・M1 128GBモデル）……中古品の相場7万5千円～9万円

などが挙げられる。iPad Air（第4世代）以降の機種ならさほど問題はないが、無印iPadの第9世代を考えるなら、ホームボタンがある機種である、第1世代Apple Pencilしか使えない、接続コネクタがLightningであるなど、ほかの機種とは違った注意点がある。

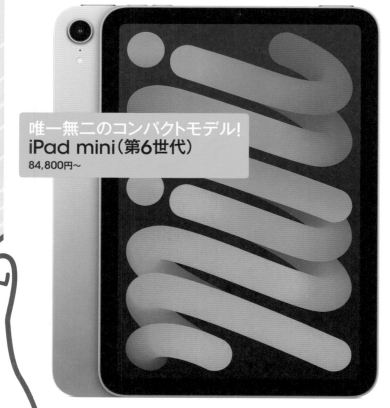

唯一無二のコンパクトモデル!
iPad mini（第6世代）
84,800円～

iPad mini（第6世代）のスペック

ディスプレイ	Liquid Retinaディスプレイ
解像度	2,266×1,448ピクセル（326ppi）（8.3インチ）
リフレッシュレート	60Hz
CPU	A15 Bionic（6コア）
GPU	5コア
メモリ	4GB
アウトカメラ	12MP広角
インカメラ	12MP超広角カメラ
ポート	USB-Cコネクタ
認証	Touch ID
スピーカー	2つのスピーカー
マイク	2つ
wi-fi	Wi-Fi 6
対応Pencil	Apple Pencil（第2世代）、Apple pencil（USB-C）
対応キーボード	なし
バッテリー持続時間	10時間
ストレージ	64GB、256GB
重量	293g（8.3インチ、Wi-Fiモデル）
価格	84,800円から（8.3インチ）

発売が2021年と古く、最新モデルが待望されているmini……ほかの機種に比べて圧倒的にコンパクトなところが特徴で、この機種にこだわるファンも多い。特筆すべき点として、ディスプレイが326ppiと超精細なところは見逃せない。5月に値上げされたので、現在は高く感じるのが残念だ。

新しくデザインされたMagic Keyboard

最新のiPad Proは、Magic Keyboardも新たに刷新され、M4 Pro専用のMagic Keyboardとなって登場した。キーボードには上段にファンクションキーが搭載され、画面の明るさや音量の調整も簡単になった。また、パームレスト部分はアルミニウム製となり、触覚フィードバックの反応が向上して、より大きくなったトラックパッドも備えている。

もともと「デザインや機能は最高だけど、とにかく重い！」といわれてきたMagic Keyboardだけに気になるのは重量だが、13インチ用が668gとなっており、iPad Pro本体と合わせると1,256gで、13インチMacBook Airの1,240gより16gだけ重い……という結果になっている（11インチ用は584g）。

> **iPad Pro(M4)用**
> **Magic Keyboard（ブラック、ホワイト）**
> 13インチモデル:59,800円(税込)
> 11インチモデル:49,800円(税込)

> **値下げされて魅力が超向上!**
> **iPad（第10世代）**
> 58,800円〜

iPad（第10世代）のスペック

ディスプレイ	Liquid Retinaディスプレイ
解像度	2,360×1,640ピクセル (264ppi)（10.9インチ）
リフレッシュレート	60Hz
CPU	A14 Bionic (6コア)
GPU4コア	5コア
メモリ	4GB
アウトカメラ	12MP広角
インカメラ	12MP超広角カメラ（横向き）
ポート	USB-Cコネクタ
認証	Touch ID
スピーカー	2つのスピーカー
マイク	2つ
wi-fi	Wi-Fi 6
対応Pencil	Apple pencil（USB-C）、Apple pencil（第1世代）
対応キーボード	Magic Keyboard Folio
バッテリー持続時間	10時間
ストレージ	64GB、256GB
重量	477g（10.9インチ、Wi-Fiモデル）
価格	58,800円から（10.9インチ）

iPad mini（第6世代）とは逆に、今回値下げされた無印iPad（第10世代）。「A14 Bionic」のCPUは、今では古く感じるが、処理速度的には、現在iPadに求められる一般的な用途なら問題なく対応できる。対応Apple Pencilが異例な点以外は、初めて買う人なら迷わず選んで問題ないだろう。

6年ぶりに大幅な刷新! その実力は!?

Apple Pencil Pro
ファーストインプレッション

iPadの2024年モデルと同時発売されたApple Pencil Pro。「プロ」を冠するスタイラスペンは、従来版からどれほどの進化を遂げたのか。さっそく使ってみた印象をお届けする。　文●小原裕太

プロの作業も捗る
新アクション「スクイーズ」に注目!

2024年モデルのiPad Pro（M4）シリーズ、iPad Air（M2）シリーズと同時にリリースされた、新世代の純正スタイラスペンのApple Pencil Pro。内蔵センサーが強化され、新しいアクションや機能が追加されたが、その中でも特に注目すべき新アクションが「スクイーズ」だろう。スクイーズは直訳すると、「押してつぶす、絞り出す」という意味で、Apple Pencil Proでは、ペンの軸を指でギュッと押し込むというアクションになる。

この新アクションに対応したアプリであれば、スクイーズすることで、画面上にリボルバー状のツールパレットが表示され、そこからすばやく描画ツールを切り替えたり、ツールの設定を変更したりできる。再度スクイーズすれば、パレットは非表示になる。Apple Pencilの従来モデルでは、ツールパレットの表示／非表示はそのつどボタンやアイコンをタップする必要があったことを考えると、プロ向けに飛躍的に効率化したといえるだろう。このApple Pencilの発売直後である2024年5月時点では、一部の標準アプリ（メモやフリーボードなど）のみしかスクイーズに対応していないが、今後は本格派の手書きメモ、スケッチアプリが順次対応していくと考えられるので、期待したい。

その他注目すべき新機能としては、「探す」への対応もピックアップしたい。「スタイラスペンが見当たらない!」という経験を繰り返してきた筆者にとって、Apple Pencilが地図からその所在を確認できるようになった意義は果てしなく大きい。ただし、AirPodsのように音を鳴らすことはできない点だけは残念だ。

スクイーズにほかの
操作を割り当てられる

下で紹介しているように、スクイーズの初期設定で割り当てられている操作は「ツールパレットを表示」だが、操作の割り当ては変更できる。割り当て変更は、「設定」アプリの「Apple Pencil」の項目で、「アクション」の「スクイーズ」をタップすると表示される画面から行うことができ、割り当てる操作は、描画ツールと消しゴムツールの切り替え、カラーパレットの表示、ショートカットの実行など、割り当てなし（オフ）を含む全7種類から自由に選択できるので、自分が最も使うものを割り当てておくと作業効率がグッと上がるはずだ。なお同様の操作割り当ては、「ダブルタップ」のアクションに対しても可能。

「設定」アプリで「Apple Pencil」→「スクイーズ」とタップして操作割り当てを変更できる。「感度」ではスクイーズの握りの強さも調整可能。

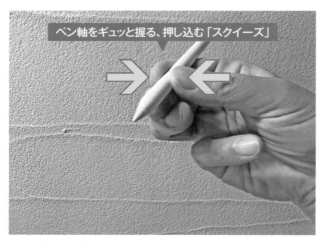

ペン軸をギュッと握る、押し込む「スクイーズ」

Proの外観は第2世代モデルとほぼ同じ。iPad本体に吸着させる平らな面を指でギュッと握るアクションが「スクイーズ」となる。

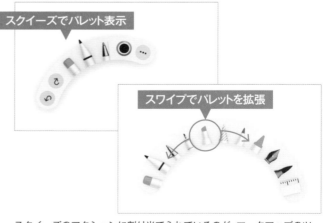

スクイーズでパレット表示

スワイプでパレットを拡張

スクイーズのアクションに割り当てられているのが、マークアップのツールパレットの表示／非表示。画面上で最後にペン先が認識された位置にツールパレットが表示される。

超進化したApple Pencil Pro!!

スクイーズ

無限アンドゥ

バレルロール

ホバー

ダブルタップ

無限アンドゥなど、スクイーズで呼び出すツールパレットではこんなこともできる!

スクイーズのアクションで呼び出すことができるマークアップのツールパレットは、そのリボルバー型の形状は独特ではあるものの、用意されているツールや使い方は基本的に通常のツールパレットと変わらないため、ひとたび表示させれば、違和感なく使いこなせるはずだ。下のように、描画ツールを選択した状態で、再度同じツールをタップすると、その線の太さを変更したり、線の色の濃淡(透明度)を調整したりできる表示に切り替わるのは、通常のツールパレットと同様だ。

もちろん、ツールパレットがリボルバー型の形状であることを最大限活かすことができる便利機能も用意されている。それが無限アンドゥ(リドゥ)だ。ツールパレットの「アンドゥ(リドゥ)」ボタンを長押しすると、パレットが円形に展開され、これまでの操作履歴が円の目盛りとして表示される。この円をなぞるようにドラッグすると、ドラッグしたぶんだけ操作履歴をさかのぼる(先に進める)ことができる。より多くのストロークで手書

きした後など、それまでの操作を一気に取り消す(取り消したものを元に戻す)ような場合、これまでは消しゴムツールでひたすら消す、あるいはツールパレットの「アンドゥ」「リドゥ」ボタンを何度も押す必要があったが、この無限アンドゥ(リドゥ)によって、そんな手間や煩わしさから完全に解放される、まさにプロ向けのインターフェイスであり、機能であるといえるので、これだけでもApple Pencil Proを導入する価値がある。

ホバー&バレルロール、ダブルタップでより直感的に手書きできる

Apple Pencil Proで特筆すべき要素としては、「ホバー」と「バレルロール」にも注目。「ホバー」は画面にペン先を近づけると、ペンが画面に触れる前に、選択中の描画ツールのペン先の形状がプレビュー表示されるというもので、目的とは違う描画ツールで手書きしてしまうミスを事前に回避できる。「バレルロール」は、Apple Pencil Proに新規搭載されたジャイロスコープセンサーにより、ペンの回転を検知するというもので、マーク

アップではツールによる描画方向などをペンの回転でコントロールできる。

たとえば、蛍光ペンツールなどはペン先の形状が点ではなく線状になっており、ペン先を縦長にして書くか、横長にして書くかで、線の太さはまったく違うものになる。「ホバー」によって縦長か横長かというペン先の状態をプレビューして、必要に応じてバレルロールでペン先を回転させてから書くといったことが可能になるため、一発で思いどおりの線が書けるようになる。

ダブルタップは機能的には従来と同じだが、「触覚フィードバック」によってその使い心地は劇的に進化。従来はダブルタップしても、その反応は画面を見て確認するしかなかったが、触覚フィードバックによりダブルタップ時にペンが軽く振動するようになったので、アクションが実行されたことが直感的に把握できるようになり、誤動作、誤操作のリスクを回避できるようになったのだ。なお、スクイーズの際にも振動で反応する。

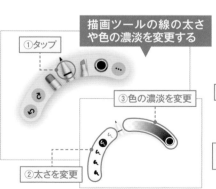

描画ツールの線の太さや色の濃淡を変更する

①タップ

③色の濃淡を変更

②太さを変更

選択中の描画ツールを再度タップすると、線の太さや色の濃淡(透明度)を変更可能。カラーパレットも同様にタップすると展開され、描画色を変更可能。

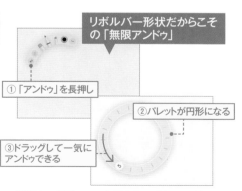

リボルバー形状だからこその「無限アンドゥ」

①「アンドゥ」を長押し

②パレットが円形になる

③ドラッグして一気にアンドゥできる

選択中の描画ツールを再度タップすると、線の太さや色の濃淡(透明度)を変更可能。カラーパレットも同様にタップすると展開され、描画色を変更可能。

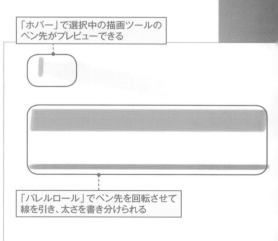

「ホバー」で選択中の描画ツールのペン先がプレビューできる

「バレルロール」でペン先を回転させて線を引き、太さを書き分けられる

意図しない線での手書きや操作ミスを防ぐための新要素も充実。ホバーとバレルロール、触覚フィードバックは地味ながら非常に便利だ。

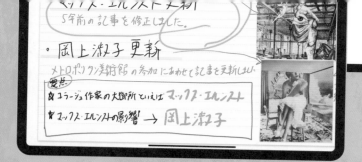

絶対必見！

Goodnotes 6 Excellent Technique!!

GoodNotes 6の
超便利ワザ、大集結!!

iPadの手書きノートでは人気No.1を誇る「Goodnotes 6」。以前の「GoodNotes 5」のころから圧倒的な人気を誇っていたが、バージョンアップした現在も人気は健在！機能はとても豊富で、使いやすさも抜群であり、日々愛用している人が多いだろう。

もともと使いやすいアプリなので、疑問点や使っていく上で悩むポイントはさほど多くないのだが、この記事では、今後もGoodnotesを使っていく上で「絶対知っておいた方がいい基本」や、ついつい「忘れがちなテクニック」、そして「上級テクニック」をまとめてみた。かなりマニアックなワザ、ある程度使っていないと気づかない便利テク……なども含んでいるので、Goodnotesを使いこなしている人にもぜひ読んでいただきたい内容になっている。

文●河本亮

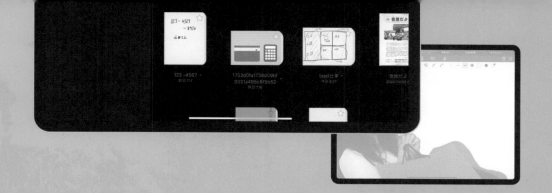

そして、「これからGoodnotes 6を使ってみたいと思っていたけど、そんなマニアックな内容なの！？」と思った方にも朗報がある！　購入者限定のダウンロード付録でしっかりと基本を学ぶことができるので、Goodnotes初心者の方はまずそちらから読んでみることをおすすめする。

読者だけの特典!!
「今、使うべきアプリ Goodnotes 6」PDF をダウンロードしよう!

Goodnotes 6の基本を理解したい人は付録PDFを活用しよう!

> Goodnotes 6の基本がスッキリと理解できる!

　以下のサイトにアクセスして、画面を下にスクロールさせると「データダウンロード」の詳細がありますので、指示に従ってボタンをクリックし、パスワードを入力してもらえばダウンロードができます（半角英数字で入力・大文字小文字の区別あり）。

https://www.standards.co.jp/book/book-9262

スマホ、タブレットで読む方はこちら→

サイトのトップページの「書籍を検索する」の部分に「iPad仕事術」などの検索ワードを入れて検索することもできます。

https://www.standards.co.jp/

（※）このPDFは、2024年2月に発売した「iPad仕事術!2024」から一部抜粋したものです。

基本を
マスター！

超便利なペンのジャスチャーを
もう一度おさらいしておこう!

ペンツール1つで
何でもできるように
なってすごく楽!

**ペンツールのまま消しゴムや
投げ縄ツールを使える!**

Goodnotes 6（以下、GN6
と表記）には、ペンのジェスチ
ャ操作だけでほかのツールを使
える「ペンのジェスチャ」機能
が追加された。たとえば、消し
ゴムツールに切り替える必要が
なく、ペンで消したい部分をジ
グザグにこするだけで消すこと
ができる。また、蛍光ペンで書
いた部分やシェイプだけを消去
することもできる。

さらに、ペンツールで対象を
囲むと、投げ縄ツールを使うこ
とができる。ジェスチャ操作の
設定は、ツールバーにあるペン
ツールをタップして表示される
メニューから行える。使いこな
せば、より効率的にノート作成
や編集ができるようになるだろ
う。

● ジェスチャ機能を有効にする

① ペンツールをタップ

② 有効にする

1 ペンツールをタップしてメニューを開き、「ペンのジェ
スチャ」を開く。各ジェスチャ機能を有効にしよう。

● こすって消去

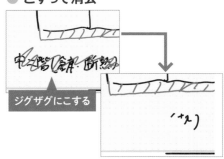

ジグザグにこする

2 消しゴムを利用するには、ペンツールで消去したい部
分をジグザグに素早くこすろう。すると消去される。

● ハイライトとシェイプを消去

ジグザグにこする

3 ハイライトやシェイプを消去したい部分は対象の半分
以上をこするだけで全体を消去してくれる。

● 囲んで投げ縄ツールを使う

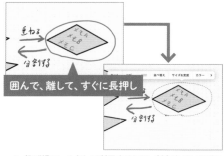

囲んで、離して、すぐに長押し

4 投げ縄ツールとして利用するには、対象をペンで囲い
込んだあと、一度画面からペンを離し、すぐに線を長
押ししよう。

忘れがちな
テク！

急ぎのメモは、とりあえず
クイックノートにメモ!

会話中の電話番号や
忘れそうなことを
さっとメモ!

**表紙や用紙の設定を飛ばして
すぐにノート画面に移動!**

急いでメモを取りたいときは
クイックノートを利用しよう。
書類画面で追加ボタンをダブル
タップすると、名前や表紙、用
紙の種類の設定を省略してすぐ
にノート画面に切り替わる。会
話中に電話番号や用件を素早く
メモしたいときなどに便利だ。

● ノートのテンプレートの設定

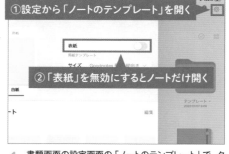

① 設定から「ノートのテンプレート」を開く

表紙

② 「表紙」を無効にするとノートだけ開く

1 書類画面の設定画面の「ノートのテンプレート」で、ク
イックノート起動時に表示するノートの設定をしておこ
う。

● 追加ボタンをダブルタップ

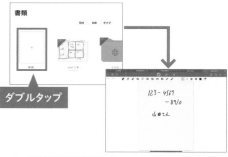

ダブルタップ

2 書類画面の新規追加ボタンをダブルタップすると設定
したノートテンプレートが直接起動して、メモが取れ
る。

超便利 03

基本を
マスター!

ノート、フォルダは色を変えたり、アイコンをつけて区別しよう!

カテゴリ別に色分けしておくと把握しやすい!

9色のカラー、さまざまなアイコンでフォルダ分類ができる

GN6では、書類上に作成したノートフォルダを色分けできるようになった。9色のカラーが用意されており、フォルダ作成時だけでなく、あとからでも自由に色を変えることができる。カテゴリ別に色分けした後、書類の表示形式を「タイプ」に変更することで、フォルダ名を確認せずに視覚的にフォルダ内容が把握できるようになる。

また、フォルダ上にアイコンを追加することも可能だ。同じ種類のフォルダが複数ある場合、アイコンを設定することで整理しやすくなるだろう。アイコンは21種類用意されている。

● フォルダのカラーを設定する

① 「カラー」をタップ
② カラーを指定する

1 新規フォルダ作成画面を開き、「カラー」タブを開き、フォルダに設定するカラーにチェックをつけよう

● フォルダのアイコンを設定する

① 「アイコン」をタップ
② アイコンを指定する

2 「アイコン」タブを開くとアイコンが表示される。フォルダに設定するアイコンを選択しよう。

● フォルダ作成後に変更する

① メニューボタンをタップ
② 既存のフォルダのカラーとアイコンを変更する

3 フォルダ作成後に変更することもできる。フォルダ名横のメニューボタンを開くと、カラーのアイコンの設定メニューが表示される。

● タイプ別に並び替える

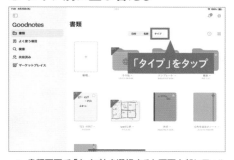

「タイプ」をタップ

4 書類画面で「タイプ」を選択すると画面上部にフォルダを集めてくれ、整理がしやすくなる。

超便利 04

基本を
マスター!

ノートの大きさは自由に変えられる!定形以外もOK!

A4が標準だけどiPhoneのサイズ(A7)なども選べる!

用紙の縦横のサイズを自分で好きなように設定できる

GN6では、ノートのサイズとして標準のA3やA4などの定形サイズが用意されているが、縦横のサイズを指定してオリジナルの用紙サイズを作ることもできる。ノート作成画面で「サイズ」をタップし、「カスタム」を選択すると、サイズ指定画面が表示される。そこで幅と高さをポイント値(pt)で指定することができる。

● 「サイズ」からサイズを指定する

① タップ
② チェックを入れる

1 新規ノート画面で「サイズ」をタップすると、サイズ指定画面が表示される。ここでは「A7(iPhone)」にチェックを入れみよう。

● iPhoneでノートを確認する

2 iPhone版GN6を起動し、作成したノートを開くと、iPhoneのサイズにぴったりのノートができ、メモが取りやすい

超|便|利 05

忘れがちな
テク!

小さな手書き文字の
修正にとても便利!

ストローク消しゴムで可能な
便利テクニックを覚えよう!

**周囲を巻き込まずにきれいに
消去するのに便利な消しゴム**

GN6には、なぞった部分を消
す「普通の消しゴム」や「正確な
消しゴム」に加えて、「ストロー
ク消しゴム」という特殊な消し
ゴムもある。ストローク消しゴ
ムは、画面からペンを離さずに
描いた線（ストローク）をタッ
プするだけで消すことができる
ツールだ。緻密な線を消したい
ときや手書きの文字の一部を修
正したいときに使うと、周囲の
メモを巻き込まずにきれいに消
すことができる。消しゴムの大
きさを変えることで巻き込み程
度の調整も可能だ。さらに、ス
トローク消しゴムでは、図形を
描いたときに中を塗りつぶした
カラーだけを消すこともでき
る。

● ストローク消しゴムを有効にする

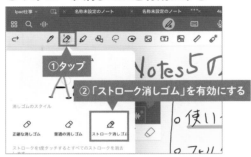

1 消しゴムツールをタップして、「ストローク消しゴム」
をタップ。

● 消しゴムの大きさを調節する

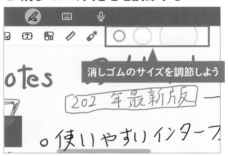

3 文字が小さいときは、巻き込んで消えてしまうときが
ある。消しゴムのサイズを小さくすることで巻き込みを
回避できる。

● 一文字だけを消す

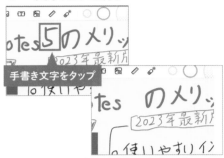

2 ストローク消しゴムは文字修正に役立つ。修正したい
一文字をタップすると、周囲を巻き込まずきれいに消
去できる。

● 図形の中を消去する

4 図形の中の塗りつぶしを消去したいときにも便利。塗
りつぶした部分をタップするだけできれいに消去でき
る。

超|便|利 06

上級
テクニック!

PDFの不要な部分を
違和感なく塗りつぶせ
てしまう!

白のペンを有効利用!
不要な部分を消していこう

**ペンツールの設定を白色にして
使ってみよう!**

消しゴムツールの太さではど
うしてもきれいに消せない場合
は、ペンツールを白に、または
塗りつぶす背景と同じカラーに
設定して上書きしよう。また、
このテクニックはPDFなど消
しゴムでは消去できない書類を
塗りつぶししたいときにも有効
だ。

● ペンのカラーを白色にする

1 塗りつぶすPDFの背景のカラーが白の場合、ペンの
カラー設定を白に変更しよう。

● PDFの不要な部分を塗りつぶす

2 PDFの不要な部分をペンで塗りつぶしてみよう。この
ように消しゴムツールを使ったかのように消去できる。

Goodnotes 6 Excellent Technique!!

超便利 07

蛍光ペンのみ消去することもできる!

忘れがちなテク!

アンダーラインが不要になったときに使おう!

消しゴムツールの設定で「蛍光ペンのみを消去」を有効に!

アンダーラインとしてよく使いがちな蛍光ペンのみを消去したいときは、消しゴムツールの設定画面を開き「蛍光ペンのみ消去」を有効にしよう。消しゴムでこすると蛍光ペンで書いた線のみを消し、ほかのペンツールで書いた線は消さずに残すことができる。アンダーラインを引いて強調する必要がなくなったときに使うといいだろう。

この機能は「正確な消しゴム」「普通の消しゴム」「ストローク消しゴム」の3種類で利用することができる。また、ストローク消しゴム利用中に有効にするとタップ1つで消去することができる。

● 消しゴムメニューを開く

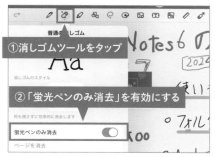

①消しゴムツールをタップ

②「蛍光ペンのみ消去」を有効にする

1 消しゴムツールをタップして、消しゴムメニューを開き、「蛍光ペンのみ消去」を有効にしよう。

● どの消しゴムでも利用できる

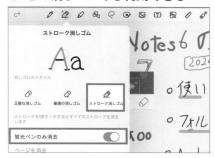

3 「蛍光ペンのみ消去」はストローク消しゴムでも利用でき、タップすると蛍光ペンのみ消去してくれる。

● 蛍光ペンのみ消してみよう

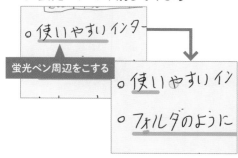

蛍光ペン周辺をこする

2 蛍光ペンとほかのペンが混じった部分をこすってみよう。すると蛍光ペンで描いた部分だけが消去される。

● 消しゴムツールのメニューに戻る

4 蛍光ペン以外の場所をさわると、機能をオフにするか聞かれる。「オプションを開く」をタップすると消しゴムツールのメニューが開く。

超便利 08

投げ縄ツールで囲った部分だけ、スクリーンショットをとろう!

忘れがちなテク!

ノートの一部を切り取って保存、活用できる!

「スクリーンショットを撮る」機能はけっこう便利!

ノートの一部を切り取ってほかのユーザーや端末と共有したいときは、「スクリーンショットを撮る」を使おう。投げ縄ツールで切り取りたい対象を囲んだ部分をコピーしたり、画像として保存したり、ほかのユーザーと共有できるようになる。

● 投げ縄ツールのメニューを開く

①投げ縄ツールをタップ

②囲い込む

③「スクリーンショットを撮る」を選択

1 投げ縄ツールを選択して、対象を囲い込んだらメニューから「スクリーンショットを撮る」を選択しよう。

● 外部に保存する

共有メニューをタップ

2 共有メニューを開き、「画像を保存」で保存できるほか、ほかのアプリに保存したりプリントすることもできる。

上級テクニック!

Goodnotes 6はプレゼンにもバッチリ使える!

小規模プレゼンをはじめ大広間でのプレゼンもOK!

ディスプレイにミラーリングしレーザーポインターで解説する

作成したノートの内容を大画面ディスプレイに映したい場合は「プレゼンテーションモード」機能を活用しよう。HDMIやAirPlayで接続できるディスプレイがあれば、ノート画面をミラーリング表示することができる。この際、ページ全体をミラーリング表示にするとツールバーなど不要な部分は表示されない。また、GN6にはレーザーポインター機能も備わっているので、プレゼン時に併用すると役立つだろう。さらに、ミラーリング中でも手書き入力が可能なので、プレゼンだけでなく実際の授業の講義にも活用できる。

● 共有メニューを開く

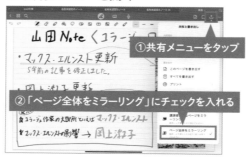

①共有メニューをタップ

②「ページ全体をミラーリング」にチェックを入れる

1 ノート右上の共有メニューをタップして「ページ全体をミラーリング」にチェックを入れよう。

● AirPlayを有効にする

画面ミラーリングを有効にする

2 iPadのコントロールメニューを開き画面ミラーリングを有効にして、ディスプレイを選択する。

● ディスプレイに映す

3 このようにディスプレイ側にはツールバーやタブバーがない状態でミラーリング表示できる。ミラーリング中でも手書き入力は可能だ。

● レーザーポインタを使う

①レーザーポインタをタップ

②ポインタの種類を選択

4 レーザーポインターを有効にして、利用するポインタの種類を選択して、ノートをなぞるとポインタが表示される。

上級テクニック!

手書きの際、漢字がわからないときはテキストツールを使う!

手書きで漢字が思い出せなくても問題ない!

あせらずにキーボードの変換機能を利用しよう!

手書き作業をしていると漢字を忘れがちになる。漢字を調べたいときは、ウェブで検索するよりテキストボックスツールで、テキスト入力すればキーボード画面から目的の漢字がわかる。また、Split Viewで別アプリを起動し、スクリブル機能を使って手書きすれば漢字をチェックできる。

● テキストボックを使って調べる

①テキストツールをタップ

②テキストボックスに漢字を入力

1 テキストボックスを作り、キーボードで目的の漢字を入力。それを見ながら手書で書くというのが1つのテクニック。

● Split Viewで別アプリを起動する

②アドレスバーで調べる

①Split ViewでSafariを起動する

2 Split ViewでSafariを起動し、スクリブル機能を使ってアドレスバーに文字を入力すると目的の漢字を調べることができる。

Goodnotes 6 Excellent Technique!!

超 便 利 11

忘れがちな
テク!

GN6上のカメラなら作成中の
ノートにすぐ写真を置ける!

簡単な操作で写真を
添付すればノートも
映える!

**ノートに取り込んだあと
トリミングやサイズ調整も可能!**

　GN6では、カメラ機能を使ってその場で撮影したものをノートに貼りつけることができる。名刺やレシート、領収証、新聞記事、広報など紙の書類を撮影して保存しておこう。ノートに取り込んだ写真は、タップすると表示される枠線をドラッグすることで大きさをカスタマイズできる。また二度タップすると編集メニューが表示され、カット、コピー、ペーストなどの操作のほかトリミングすることもできる。取り込んだ写真の周囲の余白を削除したい場合は、トリミング機能を利用しよう。

● **写真からカメラをタップ**

①写真ボタンをタップ　②カメラボタンをタップ

1 ツールバーの写真ボタンをタップし、右に表示されるカメラボタンをタップ。

● **対象をカメラで撮影する**

「写真を使用する」をタップ

2 カメラが起動するのでノートに挿入したい写真を撮影する。「写真を使用する」をタップしよう。

● **写真を編集する**

②二度タップでメニューが表示

①タップで枠線が表示される

3 写真がノートに添付されたあと、タップすると枠線が表示され大きさを調節できる。二度タップするとメニューが表示される。

● **写真をトリミングする**

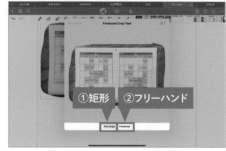

①矩形　②フリーハンド

4 メニューから「トリミング」を選択するとトリミングができる。矩形とフリーハンドでトリミング範囲を指定できる。

超 便 利 12

上級
テクニック!

スキャン機能を使えば
書類を即座にデジタル化できる!

書類内のテキストも
検索できるので
かなり便利だ!

**OCR機能で撮影した書類上の
テキストを検索できる**

　書類画面の追加メニューにある「スキャン書類」は、一見するとノート上でカメラ撮影して挿入する機能とよく似ているがかなり異なる。取り込む際にレタッチをしたりPDF形式に変換されるだけでなく、独自のOCR機能により画像上の文字をテキストデータ化してくれ検索することが可能だ。

● **スキャン書類を選択する**

①新規ボタンをタップ

②「スキャン書類」を選択

1 書類画面で新規ボタンをタップして「スキャン書類」を選択する。

● **検索機能でテキストを検索**

書類上のテキストを検索する

2 検索機能を使ってみよう。検索結果に反映されるはずだ。

上級
テクニック！

付箋とテキストを一体化させて
一緒に動かすことができる！

GN6には付箋ツールが
ないが、工夫すれば
いろいろできる！

**テキストツールと投げ縄ツール
を併用すれば付箋ツールになる**

　GN6には付箋ツールはない
が、代わりに付箋ステッカーあ
る。ただし、付箋ステッカーは手
書き文字をレイヤー化して結合
することができないため、付箋
を移動させたときに文字がその
まま残ってしまい、使い勝手が悪
い。付箋のような機能を使いた
い場合は、テキストツールを活用
しよう。テキストボックスにテキス
トを入力し、背景カラーを指定す
れば、付箋のように使うことがで
きる。また、作成した付箋をスク
リーンショットで画像として保存
して、挿入すれば、移動やサイ
ズ変更もできる。

● テキストツールを開く

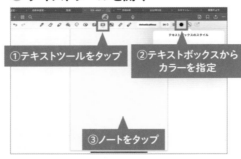

1　テキストツールをタップし、右にあるテキストボックス
の設定画面から付箋に利用するカラーを指定して、ノ
ートをタップ。

● スクリーンショットを撮る

3　投げ縄ツールで作成した付箋を囲い込み、メニューか
ら「スクリーンショットを撮る」で画像として保存する。

● 改行で付箋のサイズを調整する

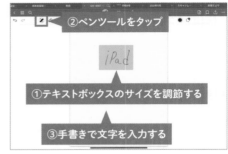

2　テキストボックスの長さを調節する。縦の長さはキー
ボードの改行で行おう。その後、ペンツールで手書き
で文字を書く。

● 保存した付箋を追加する

4　写真ツールをタップして保存した付箋をノートに追加
する。付箋は写真扱いなのでサイズや位置、傾きを自
由に変更できる。

忘れがちな
テク！

Split Viewsを使って行うと
便利な作業がある！

情報整理の効率化に
Split Viewは
欠かせない！

**よく使う付箋や
情報のスクラップに使おう**

　付箋作成機能を使う際は、並
行してSplit Viewも活用しよう。
Split Viewの片側に付箋がある
アプリ（写真やファイルなど）を
置いておけば、ドラッグ＆ドロッ
プで素早く付箋を挿入できる。ま
た、ウェブ上から日常的に情報収
集をしている人なら、ブラウザで
開いている画像や範囲選択した
テキストを、ドラッグ＆ドロップで
ノートにコピーできる。

● よく使う写真をドラッグ＆ドロップ

1　よく使う写真や付箋が保存してあるアプリを片側に開
いてドラッグ＆ドロップできる状態にしておけば、毎回
カメラロールから探す必要はない。

● Safari上の情報をスクラップする

2　Safariで開いているページ情報をスクラップしたいと
きは、対象を範囲選択してドラッグ＆ドロップすればノ
ートにコピーできる。

超便利 15

上級テクニック!

Goodnotes 6上の背景画像はフリーハンドで切り抜こう!

写真の背景を削除するのに、実はとっても便利!

フリーハンドツールとペンツールで背景を削除しよう

GN6で挿入した写真から背景だけを削除したい場合は、トリミング機能のフリーハンドツールを使おう。切り取りたい部分をペンでなぞることで背景だけを削除できる。写真から人物やオブジェクトだけを切り抜きたいときに非常に便利なツールだ。

ただし、フリーハンドで切り抜くとどうしても周囲に少し背景が残ってしまう。残った背景は、20ページで解説している「白のペンを有効利用」を参考に、背景のカラーと同じペンツールを用意して、周囲を塗りつぶしていこう。周囲の背景と同じカラーにするには、スポイトツールで背景のカラー番号を調べればよい。

● トリミングツールを開く

1　ノートに写真を挿入したら、タップしてメニューを開き「トリミング」を選択する。

● スポイトツールで背景のカラーを調べる

3　ペンツールのカラーパネルを開きスポイトツールを起動する。スポイトをノートのカラーにあわせる。

● フリーハンドで対象を囲む

2　「Freehand」タブを開き、切り取りたい部分をなぞろう。このときは、一本筆で囲い込む必要があるので注意しよう。

● 残った背景を塗りつぶす

4　ノートと同じカラーペンの準備ができたら、消しゴムツールでは画像の背景を削除できない背景を塗りつぶしていこう。

超便利 16

忘れがちなテク!

GN6の上部メニューを隠してノートを広くして使いたい!

画面の狭いiPadでは重要な設定!少しでも広くしよう!

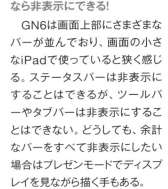

ステータスバーやタブバーなら非表示にできる!

GN6は画面上部にさまざまなバーが並んでおり、画面の小さなiPadで使っていると狭く感じる。ステータスバーは非表示にすることはできるが、ツールバーやタブバーは非表示にすることはできない。どうしても、余計なバーをすべて非表示にしたい場合はプレゼンモードでディスプレイを見ながら描く手もある。

● ステータスバーを非表示にする

1　右上の「…」をタップし、「書類編集」を開く。「ステータスバー」をオフにするとiPadのステータスバーが非表示になる。

● プレゼンモードにしてディスプレイを見ながらノートを描く

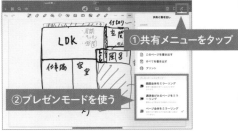

2　プレゼンモードでディスプレイにミラーリングすれば（22ページ参照）、ディスプレイ上では周囲のバーをすべて非表示にできる。

超便利 17　上級テクニック！

ページ数の多いノートは間に区切りのノートを入れよう！

> 一目で目的のページが見つかるので便利！目印として使おう

テンプレート用紙の作成画面で区切り用の目立つページを挿入！

　ノート内のページ数が多くなると、目的のページを探すのに手間がかかることがある。ところどころに区切り用ページや章扉のページを挿入しておこう。

　区切り用のページを作るポイントは、用紙ノートを変更して背景カラーを赤、青、緑など目立つカラーで塗りつぶしたり、大きなイラストやロゴを挿入しておくことだ。サムネイル表示したときに区切りのページがすぐわかり、目的のページを探しやすくなる。区切り用のページだけページ数を追加しておくのもよいだろう。

● 扉を追加したい場所を開く

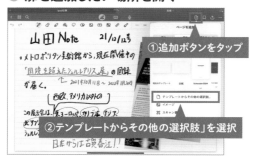

①追加ボタンをタップ
②テンプレートからその他の選択肢」を選択

1　区切りページを追加したい場所を開き、追加画面から「テンプレートからその他の選択肢」を選択する。

● 用紙の設定をする

①「カラー」をタップ
②タップしてカラーを指定する

2　用紙設定画面で「カラー」をタップ。「カラーをカスタマイズ」をタップして、「背景カラー」をタップして、区切り用ページに使うカラーを指定しよう。

● 名称をつけて適用する

②タップ
①名前をつける

3　カスタムカラー画面が表示されたら「名前」に区切り用ページの名称をつけて「適用」をタップしよう。

● 区切り用ページを作成す

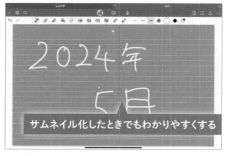

サムネイル化したときでもわかりやすくする

4　背景が異なる区切り用ページが追加されるので、大きな文字でページの名称を書いたり、イメージを貼りつけておこう。

超便利 18　忘れがちなテク！

ブラウザ経由で複数人にノートを見せることができる！

> GN6を使っていない人でもOK！共同作業に役立つ！

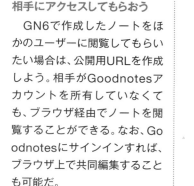

公開用URLを作成して相手にアクセスしてもらおう

　GN6で作成したノートをほかのユーザーに閲覧してもらいたい場合は、公開用URLを作成しよう。相手がGoodnotesアカウントを所有していなくても、ブラウザ経由でノートを閲覧することができる。なお、Goodnotesにサインインすれば、ブラウザ上で共同編集することも可能だ。

● 公開URLを作成する

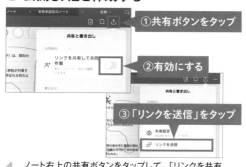

①共有ボタンをタップ
②有効にする
③「リンクを送信」をタップ

1　ノート右上の共有ボタンをタップして、「リンクを共有して共同作業」を有効にする。メニューが追加表示されるので「リンクを送信」をタップして公開URLを共有しよう。

● ブラウザでURLにアクセスする

2　作成したURLにブラウザでアクセスするとこのように表示され、誰でも閲覧できる。サインインするとノートを共同で編集もできる。

超便利 19

上級テクニック!

別のノートへのリンク、または Webへのリンクを入れよう!

関連するノートや
ページを繋げて
活用しよう!

ノートを長押してメニューから
「リンクを追加」を選択する

　ノートから別のノートへ素早く移動させたい場合はリンクを追加しよう。ノート上に設置されたリンクをタップするだけで、リンク指定したノートに瞬時に移動できる。書類画面を行ったり来たりする手間が省けるだろう。

　リンクを追加するには、ノートを長押してメニューから「リンクを追加」を選択する。ノート上に表示されるリンクアイコンをタップして、リンク先を指定しよう。なお、ノートのほかに、ノート内のほかのページやウェブサイト（URL）のリンクも追加することもできる。1冊のノートに膨大なページ数を作成している人は、目次を作ってリンクを追加しておくと便利だ。

● ノート上で長押しする

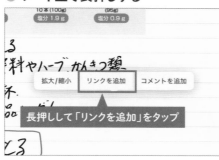

1 リンクを追加したい場所で長押しする。メニューから「リンクを追加」をタップ。

● リンクを編集画面を開く

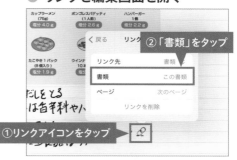

2 リンクアイコンが設置されたらタップ。リンクを編集画面の「書類」をタップ。

● 書類を指定する

3 書類選択画面が表示されるので、リンク先の書類にチェックを入れて、右上の「選択」ボタンをタップ。

● リンクアイコンをタップして移動

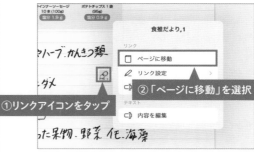

4 設定後、リンクアイコンをタップして「ページに移動」を選択すると、指定した書類に移動できる。

超便利 20

忘れがちなテク!

忘れがちなテクニックの代表!
破線、点線も書ける!

追記やコラムを作る
ときに使うと便利!

ペンの太さ設定画面で
ストローク設定を変更できる

　GN6では、標準の実線だけでなく破線や点線が使えるようになった。ツールバーのペンの太さボタンを長押しすると表示される画面でストローク設定を変更することができる。なおこの画面では、ペンの太さをミリ単位で調節することもできる。

● ペンの太さボタンを長押し

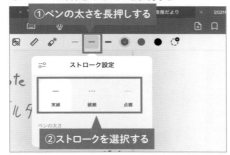

1 ツールバー右上にあるペンの太さボタンを長押しするとメニューが表示される。利用するストロークを選択しよう。

● 図形ツールでも利用できる

2 ストロークの変更は図形ツールでも利用できる。塗りつぶしとあわせて使えば、コラムや追記スペースの作成に最適となるだろう。

超便利 21

上級テクニック！

自分の好きなカラーコードを考えてみよう！

内容にあった色使いにするとノートも綺麗になって楽しい！

カラーコードを追加してツールバーに登録して使いこなそう

　ノートを作成する際に、どの色を使えばよいか迷うときがある。ノートのデザインを良くするためには、カラーコードの活用が重要となる。カラーコードは、色を数字や文字を組み合わせた6桁で表現したもので、適切なカラーコードを組み合わせることで、デザインの一貫性や調和、特定の部分を目立たせるのに役立つ。

　GN6では自分でカラーコードを指定してパレットを作ることができる。たとえば、4月のカレンダーなどで長い冬を越えて暖かい春を表現したい場合は、パステルカラー調のカラーコードを利用すれば、春らしいノートが作成できるだろう。ここでは、美しいノートをデザインするためのカラーコードをいくつか紹介する。

● カラー追加ボタンをタップ

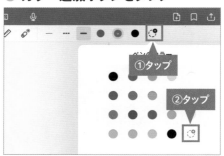

①タップ

②タップ

1 ツールバー右端にあるカラー追加ボタンをタップして、右下の追加ボタンをタップ。

● 春を感じさせるカラーコード

ツールバーに追加する

3 たとえば、春を感じさせるコードは次のようになる。作成したカラーをツールバーに追加しておこう。

● カラーコードを指定する

①カラーコードを指定する

②「プリセット」に追加をタップ

2 カラーコードを指定すると、そのカラーがプレビュー表示される。「プリセットに追加」でカラーパネルに色を追加できる。

● おすすめカラーコードを探す

4 カラーコードの組み合わせがわからない場合はウェブ検索すれば、カラーコードの組み合わせを紹介したページが見つかるはずだ。

・GoodNotesに入れると可愛い配色！コピペ可能カラーコードあり
https://blog.harupyade.com/goodnotes-pallete/

超便利 22

上級テクニック！

録音しているときは、切れ目でインデックス用のメモをとろう！

録音中にメモしないと濃く表示されないので注意しよう！

あとで再生しそうな箇所にタイムラインと見出しをつける

　GN6の録音機能を使う際、録音時間が長くなると、あとで目的の部分を探すのが大変になる。録音中は、あとで再生しそうな箇所に随時録音時間や見出しなどのメモをつけておこう。再生バーをスクロールすると録音時間にあわせてメモした箇所を濃く表示してくれる。

● 録音しながらメモを取る

番組タイムライン
01:10：オープニング
03:00：今日のニュース
11:00：天気予報
15:00：CM
18:00：音楽

1 録音中に重要な箇所には、このようにタイムラインと見出しをメモしていこう。

● 再生バーをスクロール

番組タイムライン
01:10：オープニング
03:00：今日のニュース
11:00：天気予報
15:00：CM
18:00：音楽

2 録音後、再生バーを左右にスクロールするとその時間にメモした箇所を濃くしてくれる。

超便利 23

自分にとってもっとも書きやすいテンプレートを作る!

基本をマスター！

外部のPDFをインポートして使うとかなり快適!

テンプレートを探してGN6にPDF形式で読み込んで使う

効率的にノートを取るためには、自分専用のテンプレートを作成して活用しよう。テンプレートを使うことで、罫線や格子線の配置、ヘッダーやフッターの設定、画像やスタンプのノートのレイアウトに一貫性を持たせることができ、毎回同じレイアウトやデザインでノートを作成することができる。カレンダーやスケジュール帳として活用している人におすすめだ。

なお、Goodnotes 6はPDFをインポートできるので、事前にPDF形式でテンプレートを作成して保存先から読み込んで利用するのもよいだろう。

● テンプレートをダウンロードする

①共有ボタンをタップ

②「ファイル」に保存をタップ

1 GN6のテンプレートはウェブ上で無料で配布されていることが多い。ファイルをブラウザで開いたら右上の共有メニューから「保存」をタップしよう。

● テンプレートを読み込む

①新規ボタンをタップ

②「読み込む」からテンプレートを選択

2 ダウンロードしたテンプレートを読み込むには、書類画面から「読み込む」をタップしてテンプレートを選択しよう。

● テンプレートを書き出す

①共有ボタンをタップ

②「すべてを書き出す」をタップ

3 GN6から開いているテンプレートを外部に書き出したい場合は、右上の共有メニューから「すべてを書き出す」をタップする。

● PDFとして書き出す

②タップ

①「PDF」を選択

4 「PDF」を選択して「書き出す」をタップしてテンプレートの保存先を選択しよう。

超便利 24

Goodnotes 6標準のテンプレートをもっと活用しよう!

上級テクニック！

探すのが面倒な人は用意されているものを使おう

マーケットプレイスからセンスのいいテンプレートを入手する

GN6自体にも標準でさまざまなテンプレートが用意されているので、ウェブ上から探すのが面倒な人は利用しよう。なお、表紙のテンプレートも用意されていたり、マーケットプレイスから有料のテンプレートをダウンロードすることもできる。

● 表紙のテンプレートを探す

「表紙」を有効にする

1 新規ノート作成画面で「表紙」を有効にすると、表紙専用のテンプレートが表示される。ノートよりも種類が豊富だ。

● マーケットプレイスから探す

②「テンプレート」をタップ

①「マーケットプレイス」をタップ

2 書類画面のサイドバーから「マーケットプレイス」をタップして、「テンプレート」をタップするとセンスの光る有料テンプレートがダウンロードできる。

超便利 25

上級テクニック!

新規のビジュアル要素を自分で作ってみよう!

契約書に使うハンコやサインを登録できる!

要素ツールの追加設定から好きな画像を登録していこう

GN6にはさまざまなスタンプやステッカーがあらかじめ用意されているが、オリジナルの要素を追加することも可能だ。要素画面のメニュー右下にある追加ボタンをタップしよう。「新規コレクション」画面が表示されるので、追加したい画像を選択するだけだ。カメラロールだけでなく、ほかのアプリからも読み込むことができる。また、投げ縄ツールを使って、ノート上にある手書きの図形やイラストからも要素に追加することが可能だ。追加する際は複数のファイルをまとめて登録したり、それらにグループ名をつけることができる。

● 要素ツールを開く

①要素ツールをタップ

②追加ボタンをタップ

1 要素ツールをタップして下部メニューの右端にある追加ボタンをタップ。

● 作成した要素を呼び出す

グループから要素を呼び出す

3 作成した要素は要素画面下にあるグループ内に追加される。なお、要素やグループを編集したい場合は長押ししよう。

● 新規コレクション画面

③「作成」をタッ

①画像を読み込む　②グループ名をつける

2 「写真を追加」または「読み込む」から要素に使う画像を追加して、グループ名をつけて「作成」をタップしよう。

● 投げ縄ツールから要素を追加する

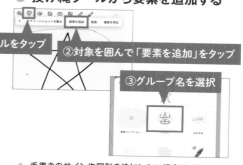

①投げ縄ツールをタップ

②対象を囲んで「要素を追加」をタップ

③グループ名を選択

4 手書きのサインや図形を追加したい場合は、投げ縄ツールで対象を囲み、メニューから「要素を追加」を選択し、グループ名を選択しよう。

超便利 26

上級テクニック!

資料の表紙などに手書きを加えて説得力を出そう!

プレゼン資料などインパクトが必要な書類作成に活用!

蛍光ペンや画像の切り抜きをうまく使おう

作成したノートをプレゼンなどで利用する場合は、そのままでは地味な表紙なら、一工夫加えよう。表紙を手書きにすることで、インパクトのある資料やスライドが作成できるだろう。たとえば、手書きで描いた蛍光ペンの文字を黒ペンで囲むだけで見栄えのよい文字になる。

● 蛍光ペンを黒ペンで囲む

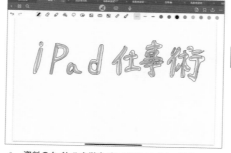

1 資料のタイトルを蛍光ペンで書いたあと、黒色のペンツールで周囲を縁取ってみよう。

● PDFの一部を切り取りって貼る

投げ縄ツールで「スクリーンショットを撮る」を選択

2 PDFを読み込み表紙に利用したい箇所を投げ縄ツールで切り取り、それを表紙に使うのもよいだろう。

超便利 27

更新した書類は自動でクラウドにバックアップしよう!

基本をマスター!

WindowsやAndroidユーザーでも問題なくOK!

DropboxやGoogleドライブにノートをバックアップできる!

作成したノートをバックアップしたい場合は、クラウドストレージを利用すると便利だ。GN6はデフォルトではiCloudに自動でバックアップされ、同じApple IDでログインしているほかのiPadやiPhone、Macとノートを同期することができる。

さらに、GN6では、DropboxやGoogleドライブ、OneDriveなどほかのクラウドストレージにもノートをバックアップすることもできる。バックアップ先のストレージには「GoodNotes」というフォルダが作成され、標準ではPDF形式で出力される。Windowsやほかのデバイスとノート内容を共有する際に便利だ。

● 書類画面の設定を開く

①設定ボタンをタップ
②「クラウド&バックアップ」を選択

1 書類画面の右上の設定メニューを開き「クラウド&バックアップ」を選択。

● 自動バックアップを選択

「自動バックアップ」をタップ

2 標準ではiCloudに自動でバックアップされるようになっている。ほかのクラウドサービスにバックアップしたい場合は「自動バックアップ」を選択。

● ストレージサービスを選択する

①有効にする
②ストレージサービスを選択する

3 「自動バックアップ」を有効にして、「クラウドストレージ」からバックアップ先のストレージサービスにチェックを入れよう。

● フォルダと形式を指定する

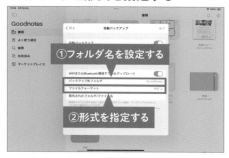

①フォルダ名を設定する
②形式を指定する

4 バックアップ先フォルダの名称とファイルフォーマットを指定しよう。ファイル形式はPDFのほかGoodnotes形式が選択できる。

超便利 28

室内が暗いイベント会場などではダークモードを使おう!

上級テクニック!

iPadを暗い場所で使う際はちょっと配慮しよう!

ダークモードにして用紙のカラーを黒にする!

人が集まる暗い場所でGN6を開くと、ノートが明るく目立つことがある。iPadの画面を暗くするのもよいが、目の軽減を負担する「ダークモード」にしてみよう。また、ノートの用紙を黒にし、ペンのカラーを白にすることで周囲から目立たずにすむ。

● iPadの設定をダークモードにする

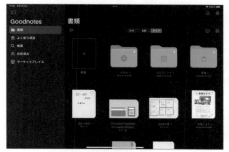

1 iPadの設定画面の「画面表示と明るさ」でダークモードに変更すると、GN6のインターフェースもダークモードになる。

● 用紙を黒色にしてペンを白にする

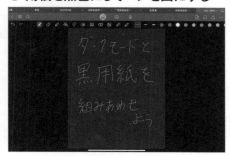

2 また、ノートの用紙設定で黒を選択して、ペンのカラーを白色にしよう。

カードにメモを書き留めて
雑多な情報やアイデアを効率的に整理できる!

Cardflow+ by Qrayon

....

メモが書かれた「カード」を「ボード」に貼りつけた画面が特徴的な「Cardflow+ by Qrayon」。断片的な情報やアイデアを思いつくまま書き留め、それらを並べ替えるなどして整理し、考えをまとめるといった使い方がおすすめだ。

名前:	Cardflow+ by Qrayon
作者:	Qrayon, LLC
価格:	2,200円
カテゴリ:	仕事効率化

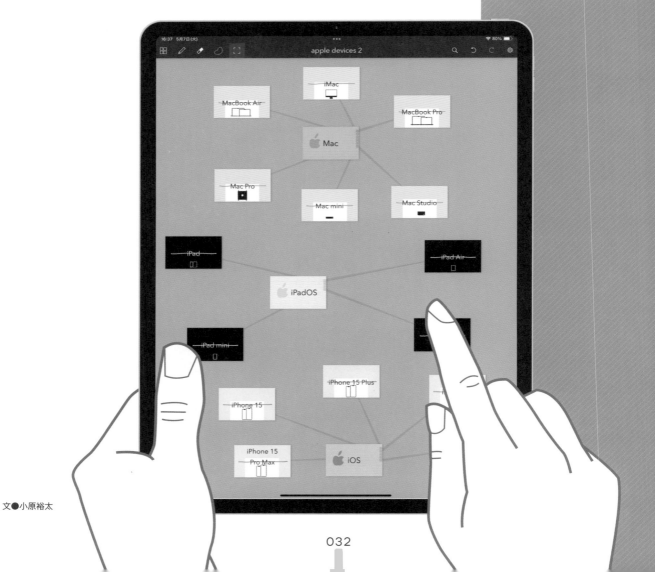

文●小原裕太

Cardflow+ by Qrayonのポイント

1 カードに手書き、テキストでメモできる!

スタイラスペンなどによる手書き、キーボードからのテキスト入力、どちらにも対応。1つのカードに手書きとテキストも混在可能だ。

2 カードの「見た目」を自由に変更できる!

カードはすべて同じサイズだが、カードごとに背景色を変更することで、視覚的に区別、整理できる。カードに画像を挿入することもできる。

3 カードを見やすくレイアウトできる!

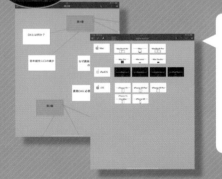

ボードに貼りつけられたカードは、ドラッグ&ドロップ操作で移動できるほか、ワンタッチで整列させることもできる。

4 ボード(背景)の色も変更可能!

ボードの背景色ももちろん変更できる。変更するには、画面右上の歯車アイコンをタップ、メニューの「Change Board Color」をタップし、目的の背景色をタップする。

Cardflow+ by Qrayonの機能

カード作成／ボード作成／手書きメモ／テキストメモ／カードの移動／カードの整列／カードのフリップ／テンプレート／写真の挿入／PDFの挿入／カード背景色の変更／カードのリンク

Cardflowはこんなアプリ！
カード形式で情報を完璧に整理しよう！

● ○ ○ ○ ○ ○ ○

1

メモを書き留める
「カード」とカードを
並べる「ボード」

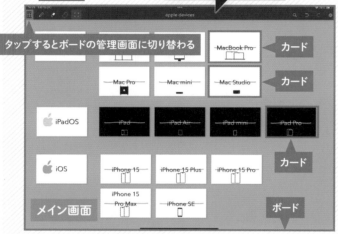

タップするとボードの管理画面に切り替わる

カード

カード

カード

ボード

メイン画面

手書き／テキストメモは、付箋の
ような「カード」単位で作成す
る。カードを貼り付け、並べて表
示する背景が「ボード」だ。

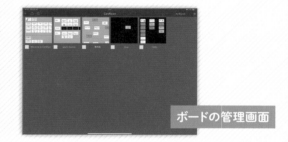

ボードの管理画面

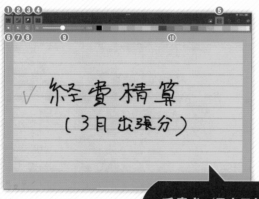

2

手書き／テキストで
メモを書き留める

①メイン画面に戻る
②手書きツール
③消しゴムツール
④選択ツール
⑤テキストモードに切
り替える
⑥ペンで書く
⑦水彩ペンで書く
⑧図形を書く
⑨ペンの太さ
⑩描画色

テキストモード

3

①フォント
②フォントスタイル
③フォントサイズ
④テキストカラー
⑤段落揃え
⑥テキストモードを終了

メイン画面でカードをタップするか、
新規カードを作成すると、カードの編
集画面が表示される。カードの編集
画面は手書きモード／テキストモード
のいずれかに切り替えることができ
る。

**アプリの主要な画面を
理解すれば、マスターは簡単！**

Cardflow+ by Crayon（以降
「Cardflow+」と表記）の主要な
画面は、上で解説しているよう
に、メモが書き込まれたカード

が、ボードに並ぶメイン画面、
ボードをファイルとして管理す
るボードの管理画面、さらにカー
ドの編集画面となる。まずは
各画面の役割や呼び出せる機能
を覚えることが、アプリ操作を

マスターする早道になる。
　ほかの手書きメモアプリと比
べ、Cardflow+のカード編集画
面の「手書きモード」から呼び
出せる機能は少ないが、断片的
な情報やアイデアをサッと書き

留めておき、あとからカードを
移動するなどして整理するとい
ったアプリの使い方を考えれ
ば、当然のことと言えるだろう。

● CollaNote

新規でボードを作成してみよう①

○ ● ○ ○ ○ ○ ○

1

ボードの管理画面から新規作成する

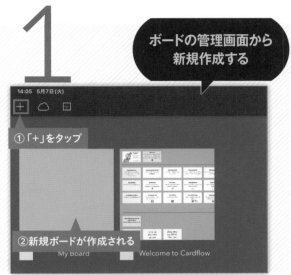

①「+」をタップ

②新規ボードが作成される

Cardflow+では、「ボード」単位で複数のカードを管理する。アプリの起動時に表示されるボードの管理画面で上のように操作することで、新規ボードを作成できる。

2

ボードに名前をつける

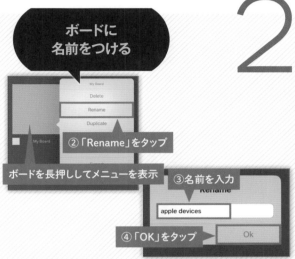

②「Rename」をタップ

ボードを長押ししてメニューを表示

③名前を入力

④「OK」をタップ

ボードを新規作成すると規定の名前が自動的につけられる。これを変更するには、上のように操作すればいい。メニューからはボードを削除することもできる。

3

ボードを開く

ボード管理画面でボードをタップすると、メイン画面に切り替わり、そのボードが開くので、カードを作成したり、移動するなどして編集できる。

①ボードをタップ

③タップすると前の画面に戻る

②メイン画面に切り替わり、空のボードが開く

4

カードを新規作成する

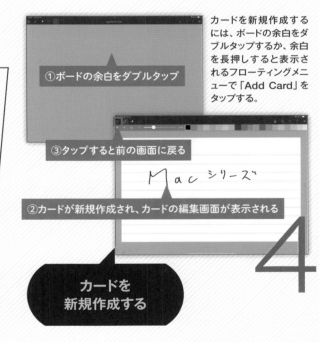

カードを新規作成するには、ボードの余白をダブルタップするか、余白を長押しすると表示されるフローティングメニューで「Add Card」をタップする。

①ボードの余白をダブルタップ

③タップすると前の画面に戻る

②カードが新規作成され、カードの編集画面が表示される

● Cardflow

ボードやカードを新規作成する

Cardflow+でメモを書き留めるには、まずはボードを作る必要がある。ボードはボードの管理画面から作成でき、上の手順2のメニューからボードを削除したり、複製したりすることができる。作成したボードは、管理画面左上の雲アイコンをタップすることで、iCloud Driveにコピーできる。コピーしておけば、デバイスを変更しても継続してそのボードが使えるので便利だ。ボードを作成したら、メイン画面でそのボードを開き、メモを書き留めるためのカードを作成しよう。

なお、ボード上にカードを作成する、カードにメモを書く、カードを移動するといった編集内容は、メイン画面からボードの管理画面に切り替えた際に自動的に保存される。

新規でボードを 作成してみよう②

○ ○ ● ○ ○ ○ ○

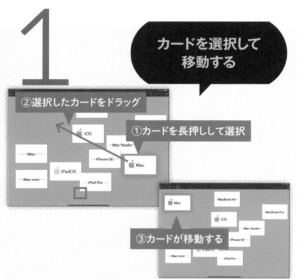

1 カードを選択して 移動する

②選択したカードをドラッグ

①カードを長押しして選択

③カードが移動する

ボード内でカードを移動するには、まず目的のカードを長押しして選択し、その状態でカードを目的の位置にドラッグ&ドロップする。選択を解除するには、ボードの余白部分をタップする。

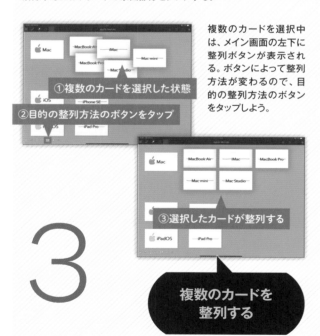

複数のカードを選択中は、メイン画面の左下に整列ボタンが表示される。ボタンによって整列方法が変わるので、目的の整列方法のボタンをタップしよう。

①複数のカードを選択した状態

②目的の整列方法のボタンをタップ

③選択したカードが整列する

3 複数のカードを 整列する

①「カード選択ツール」をタップ

複数のカードを 選択する

②選択するカードを囲むようにドラッグ

③ドラッグして囲んだ範囲内の カードがまとめて選択される

2

「カード選択ツール」を使えば、複数のカードをまとめて選択できる。ドラッグして範囲選択する際の挙動にくせがあるが、慣れれば狙ったカードをスムーズに選択できるようになる。

どのボタンをタップすれば、どのように整列するかは、下図のとおりとなる。誤ったボタンをタップしてしまった場合は、メイン画面右上の「やり直す」ボタンをタップすれば、カードは元の配置に戻る。

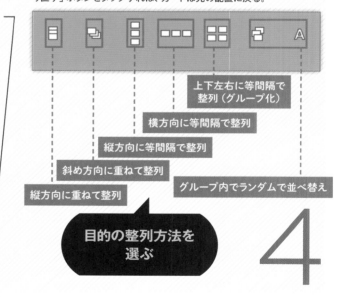

上下左右に等間隔で 整列（グループ化）

横方向に等間隔で整列

縦方向に等間隔で整列

斜め方向に重ねて整列

グループ内でランダムで並べ替え

縦方向に重ねて整列

目的の整列方法を 選ぶ

4

Cardflow+の最大の特長、カード操作を覚えよう

カードは移動したり、整頓したりできるが、そのためにはまず、対象となるカードを選択する必要がある。なお、上で解説したように、1枚のカードを選択する場合は長押し、複数のカードをまとめて選択する場合はツールを使ってドラッグする。1枚のカードを長押しすると選択されると同時にフローティングメニューが表示され、ここからカードを削除したり、コピーしたりできる。

カード操作の際に、ボードをスクロールする必要が生じた場合は、ボードの余白部分を2本指でスワイプする。スワイプした方向の反対側にスクロールされる。また、2本指でピンチイン／アウトの操作をすれば、ボードを縮小／拡大表示できる。

CollaNote

こんな用途に使うのが最適!

○ ○ ○ ● ○ ○

1 文書やプレゼンのプロット作成

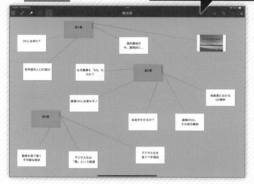

長文やプレゼン資料を作成する際に、アウトラインやマインドマップなどを使ってアイデアをひねり出すという人も多いだろう。Cardflow+なら、カードに見出しやタイトルなどを書き、それらを並べ替えたり、相関関係を明確化させたりしながらアイデアを練ることができる。

2 情報の分類、整理

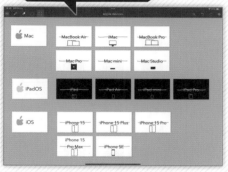

情報の分類、整理は、カード単位で情報を扱えて、それらを自由自在に並べ替えることができるCardflow+の用途としては最適だ。思いついた情報やアイデアをひとまずカードに書き留めておき、あとから見返す、整理するといったことが簡単にできるのは、他のメモアプリにはない魅力だ。

3 視覚に訴えかけるToDoリスト

手書きのToDoリストとしての使い方もアリだろう。タスクの優先順位は状況によって変わることも多く、Cardflow+ならタスクを書いたカードを優先順位順に並べ替えるのも簡単だからだ。また、優先順位やタスクの内容に応じてカードの背景色を変更するのもおすすめ。

4 クイズカード、単語帳として

カードには表面だけでなく、裏面もあり、どちらにもメモを書き込める。単語カードのように表面に単語を、裏面に意味を書いておけば、学習に役立つ。クイズの問題とその答えを表裏に書くといった使い方も楽しい。

カードならではの使い方を考えてみよう

ここまで何度も言及してきたとおり、Cardflow+の特長は「カード」に集約されている。カードを自由に動かすことができる、色分けしたり、「リンク」を使ってカード間の相関関係を明示したりできるといった特長を踏まえると、やはり断片的な情報やアイデアを整理する、よりよいアイデアを創出するという用途に思い至る。

実際にブレインストーミング、アイデア出しの定番的な手法の1つとして知られる「KJ法」は、カード状の付箋にアイデアを書き留めてホワイトボードに貼りつけて、それらを俯瞰しながら考えるというもので、Cardflow+のコンセプトはまさに、このKJ法を踏襲したものといえる。上では4つの用途を提案したが、自由な発想で自分なりの用途を見つけてみよう。

カードはかなりキメ細かく 作成、編集できる！

○ ○ ○ ○ ● ○

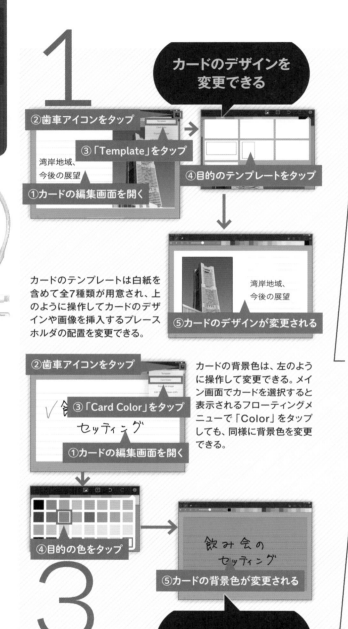

1

カードのデザインを変更できる

②歯車アイコンをタップ

③「Template」をタップ

①カードの編集画面を開く

④目的のテンプレートをタップ

⑤カードのデザインが変更される

カードのテンプレートは白紙を含めて全7種類が用意され、上のように操作してカードのデザインや画像を挿入するプレースホルダの配置を変更できる。

3

背景色を変更する

②歯車アイコンをタップ

③「Card Color」をタップ

①カードの編集画面を開く

④目的の色をタップ

⑤カードの背景色が変更される

カードの背景色は、左のように操作して変更できる。メイン画面でカードを選択すると表示されるフローティングメニューで「Color」をタップしても、同様に背景色を変更できる。

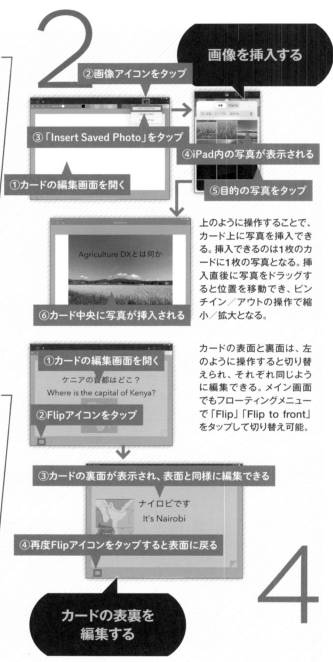

2

画像を挿入する

②画像アイコンをタップ

③「Insert Saved Photo」をタップ

①カードの編集画面を開く

④iPad内の写真が表示される

⑤目的の写真をタップ

⑥カード中央に写真が挿入される

上のように操作することで、カード上に写真を挿入できる。挿入できるのは1枚のカードに1枚の写真となる。挿入直後に写真をドラッグすると位置を移動でき、ピンチイン／アウトの操作で縮小／拡大となる。

4

カードの表裏を編集する

①カードの編集画面を開く

②Flipアイコンをタップ

③カードの裏面が表示され、表面と同様に編集できる

④再度Flipアイコンをタップすると表面に戻る

カードの表面と裏面は、左のように操作すると切り替えられ、それぞれ同じように編集できる。メイン画面でもフローティングメニューで「Flip」「Flip to front」をタップして切り替え可能。

並べ替えだけじゃない、カード操作でできること

Cardflow+のカードのレイアウトは、テンプレートを切り替えることで変更できる。画像を配置するための枠であるプレースホルダは、テンプレートを変更しないと表示されないので、1つのボード内で画像を挿入するカードのデザインを統一したいときなどに便利。

カードに配置した写真の位置や大きさを後から変更したい場合は、写真が挿入されたカードを編集画面で開いておき、画像アイコンをタップして、メニューから「Resize Picture」をタップする。このメニューで「Change Picture」をタップすると他の写真と入れ替えられ、「Remove Picture」で写真を削除できる。

「add link」機能で
マインドマップのように使うことも！

○ ○ ○ ○ ○ ●

1

カード同士を線でつなぐ

①カードを長押しして選択

②そのまま指を放さずに、別のカード上に指を動かす

③カード同士が線でつながる

線（リンク）でつなぐカードの一方を長押しして、そのまま指を放すことなく、もう一方のカードまでドラッグ＆ドロップすると、カード同士がつながる。カードの移動にも線は追従する。

2

リンクでつながる空のカードを作成する

①カードを長押しして選択

②そのまま指を放さずに、ボードの余白部分まで指を動かす

③ドラッグした位置に元カードとつながった空のカードが作成される

既存のカード同士を線でつなぐだけでなく、元カードと線でつながる新規カードを作成することもできる。ドラッグ＆ドロップ先を他カードではなく、ボードの余白にすればいい。

3

①リンクのついたカードを長押し

②「Remove Links」をタップ

③リンクが削除される

リンクを削除する

リンクを削除するには左のように操作する。なお、リンクは1つのカードから複数のカードに対してつけることができるが、その場合、複数リンクのついたカードで削除の操作をすると、すべてのリンクが一括削除される。

4

①メイン画面右上の歯車アイコンをタップ

②「Change Links Color」をタップ

③目的の色をタップ

④リンクの色が変わる

リンクの色を変更する

リンクの色は、上のように操作すると変更できる。ボードの背景色次第ではリンクの色が目立たなくなることがあるため、必要に応じて変更するといいだろう。

Cardflow

まとめ

やや高価だが、「カードにメモを書く」という、
ほかにはない個性が魅力！

手書きメモ、テキストメモアプリとしては、機能面でやや貧弱で、表現の自由度も低い。その割に2,200円（2024年5月時点）もするなど、ついついマイナス面に目が行きがちなアプリと言える。しかし、Cardflow+の魅力は「カード」であり、その点では他の追随を許さない。雑多な情報、アイデアの断片をとにかくカードに書き留める、あとからカードを並べ替えたり、整頓したりして思考を組み立てるといったことができるのは、このアプリならではの体験だ。できることがそれほど多くないことが、むしろインターフェースのシンプル化、分かりやすさにつながっている点も、Cardflow+の大きな特長となっている。興味はあるものの、いきなり購入はためらわれるというのならば、機能限定の無料版を試してみよう。

無料で使える純正アプリなのに多機能！ペンとの相性も抜群！

メモ／マークアップ

標準アプリの中でも、特に使用頻度が高いのが「メモ」だという人も多いのではないだろうか。そんな「メモ」アプリには、まだあまり知られていないものの、覚えておくと超絶便利なテクニックがたくさんあるので、1つずつマスターしていこう。

名前：メモ
作者：**Apple**
価格：**無料（標準アプリ）**
カテゴリ：**仕事効率化**

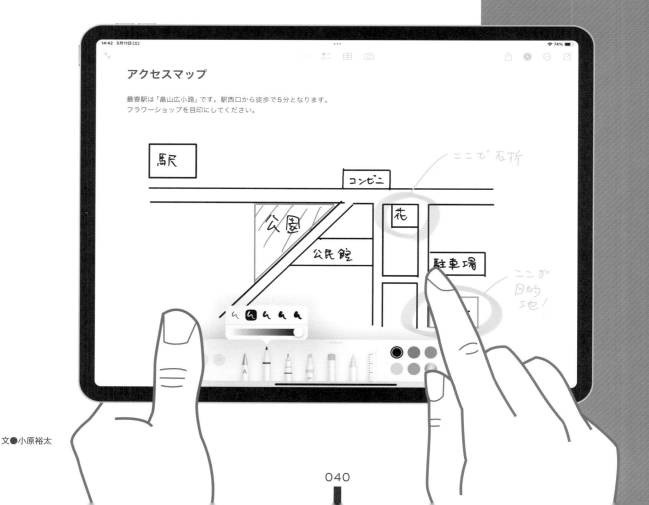

文●小原裕太

メモの ポイント

1
テキストと手書きを
混在できる!

1つのメモに、キーボードから入力するテキスト、手書きした文字を混在させることができ、画像やPDFなどの外部ファイルも添付、挿入できる。

2
手書きメモの
狙った位置に
余白を追加できる!

手書き入力だとどうしても、途中に余白を入れてその部分に追記するといったことはやりにくいが、投げ縄ツールの使い方を工夫すればそれも簡単に。

3
「リンク」を使って
別のメモに
ジャンプできる!

「リンク」機能を使えば、メモ内の特定のテキストをタップすることで、ほかのメモにジャンプできる。複数メモのインデックス的なメモを作成する際に便利な機能。

4
タグやフォルダで
多層的に
メモを管理できる!

通常のフォルダに加えて、条件にマッチするメモを自動収集するスマートフォルダ、フォルダ横断的にメモを整理、抽出できるタグなど、多彩な管理方法が用意されている。

メモの 機能

マークアップ／パレット／投げ縄ツール／画像の挿入／PDFの挿入／リンク／
センターウインドウ／Split View／Slide Over／フォルダ／スマートフォルダ／手書きタグ

手書き機能の使い方を
おさらいしておこう

● ○ ○ ○ ○ ○ ○ ○

● マークアップ

1

マークアップを起動して手書きを開始する

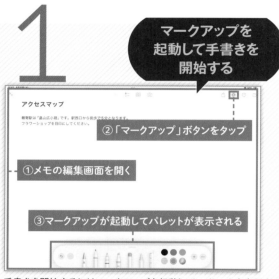

- ②「マークアップ」ボタンをタップ
- ①メモの編集画面を開く
- ③マークアップが起動してパレットが表示される

手書きを開始するにはマークアップを起動して、パレットを表示する。Apple Pencilを使う場合は、メモの余白にペン先を置くだけで手書きを開始できる。

2

メモに手書き入力する

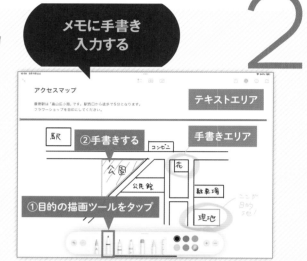

- テキストエリア
- ②手書きする
- 手書きエリア
- ①目的の描画ツールをタップ

テキストと手書きは1つのメモに混在可能。ただし、両者を横方向に並べることはできず、上下でテキストエリア、手書きエリアと明確に区別される。

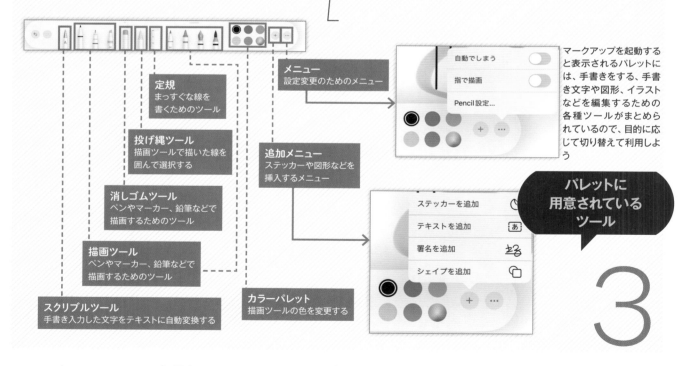

メニュー
設定変更のためのメニュー

定規
まっすぐな線を書くためのツール

投げ縄ツール
描画ツールで描いた線を囲んで選択する

消しゴムツール
ペンやマーカー、鉛筆などで描画するためのツール

描画ツール
ペンやマーカー、鉛筆などで描画するためのツール

スクリブルツール
手書き入力した文字をテキストに自動変換する

追加メニュー
ステッカーや図形などを挿入するメニュー

カラーパレット
描画ツールの色を変更する

- 自動でしまう
- 指で描画
- Pencil設定...

マークアップを起動すると表示されるパレットには、手書きをする、手書き文字や図形、イラストなどを編集するための各種ツールがまとめられているので、目的に応じて切り替えて利用しよう

パレットに用意されているツール

- ステッカーを追加
- テキストを追加　あ
- 署名を追加
- シェイプを追加

3

マークアップはほかのアプリでも使える

メモに文字や図形、イラストなどを手書きするには、マークアップを起動すると表示されるパレットから、各種ツールを選択する。パレットにはペンや鉛筆、マーカー、筆など、さまざまな種類の描画ツールが用意されているので、サッとメモを書き留めるだけでなく、本格的な作画も可能だ。特にApple Pencilは、筆圧検知や傾き検知にも対応しているので、線を繊細に描くことができる。

なお、マークアップは「写真」をはじめとする一部の標準アプリでも使うことができる。ほかのアプリでマークアップを起動するとパレットが表示されるのは「メモ」アプリと同じだが、パレットから選択できる描画ツールの数が異なる。

ギッシリと書いた手書きメモにも余白を作ることができる！

○ ● ○ ○ ○ ○ ○ ○

1

1行ぶんの余白を入れる

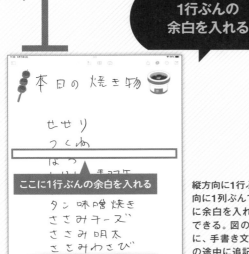

ここに1行ぶんの余白を入れる

縦方向に1行ぶん（横方向に1列ぶんでも同様）に余白を入れることができる。図の例のように、手書き文字の一覧の途中に追記したい場合は、次の手順に従って余白を入れよう。

図の例のように、1行の中の一部分だけに余白を入れることもできる。この場合は次の手順のように、投げ縄ツールで階段状にドラッグする。

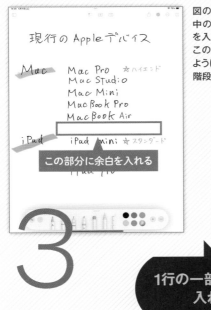

この部分に余白を入れる

3

1行の一部に余白を入れる

2

投げ縄ツールを一直線に引く

②余白を入れる位置で横方向一直線にドラッグ

①投げ縄ツールをタップ

③ハンドルが表示される

⑤手書き文字全体が下がり余白ができる

④ハンドルを下方向にドラッグ

投げ縄ツールで余白を入れる行（列）に横（縦）方向一直線にドラッグすると、黄色い線とハンドルが表示される。このハンドルを下（右）にドラッグすると黄色い線の下（右）にある手書き文字全体が移動し、余白ができる。

投げ縄ツールで、余白を入れる部分が線の下、それ以外の部分が線の上になるように、階段状にドラッグする。ハンドルと黄色い線が表示されるので、ハンドルを下方向にドラッグすれば、余白ができる。

②余白を入れる部分が線の下、その他が線の上になるように、階段状にドラッグ

①投げ縄ツールをタップ

4

⑤線の下になった部分だけが下がり余白ができる

③ハンドルが表示される

④ハンドルを下方向にドラッグ

投げ縄ツールを階段状に引く

投げ縄ツールの意外な使い方をマスターしよう

テキストと比べて、あとから余白を追加するといった編集に難がある手書きメモ。特にメモをスクロールする必要があるほどビッシリ、ギッシリ書き込んでいると、途中に余白を入れるのは難しいと思われてきた。しかし上で解説しているように、投げ縄ツールを使えば手書きメモの途中に簡単に余白を入れることができる。

投げ縄ツールはドラッグして対象を囲んで選択するという固定観念があるため、直線を引いて、その上下、あるいは左右の手書き文字をまとめて移動させるというのは意外な使い方といえるが、非常に便利なので是非とも覚えておこう。手書きでメモする、アイデアや情報などを書き留めるといった作業の効率や利便性が飛躍的に向上するはずだ。

メモアプリに画像を貼って いろいろな用途に活用する

○○○●○○○○○

1

テキストエリアと 手書きエリアに 画像を配置できる

テキストエリア

手書きエリア

ケニアの 首都は?

画像は、テキストエリアと手書きエリアのどちらにも同様の操作で配置可能。ただし、配置したエリアによってできること、できないことに違いがある。

2

テキストエリアの 画像でできること

コピー
共有
表示形式 大
削除

長押しメニューから表示形式「大」「小」を選択できる

タップして単独表示にすると画像上に手書きできる

テキストエリアの画像はテキスト扱いとなり、一連の文字列の中だけで移動させることができる。大きさは「大」「小」の2種類のみで、タップして単独表示したときのみ画像上に手書きできる。

3

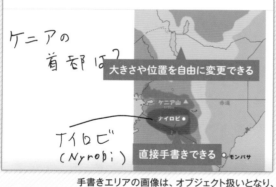
ケニアの 首都は?

大きさや位置を自由に変更できる

ナイロビ (Nyrobi)

直接手書きできる

手書きエリアの画像は、オブジェクト扱いとなり、ドラッグ＆ドロップでエリア内を自由に移動させたり、周囲のハンドルを操作して拡大／縮小したりできる。また、画像上に直接手書き可能だ。

手書きエリアの 画像でできること

画像に手書きするなら 「写真」アプリから

画像に手書きで注釈をつけたり、メッセージやイラストを添えたりしたい場合は、メモに一度配置してから手書きするよりも、純正の「写真」アプリのマークアップ機能を利用した方が早い。マークアップ機能は編集画面から呼び出せる。

画像は配置場所によって できることが違う

メモの本文には、「写真」アプリに保存されている画像や、内蔵カメラで撮影した画像を配置できる。配置するには、メモの

編集画面でカメラボタンをタップして「写真またはビデオを撮る」もしくは「写真またはビデオを選択」をタップして、目的の画像を選択すればいい。また、Split Viewで「メモ」アプリと

「写真」アプリを並べて表示し、画像を「メモ」アプリの画面にドラッグ＆ドロップしてもOKだ。

単なる添付ファイルとして画像を扱う場合は、テキストエリ

アに配置すれば省スペースで済み、いざというときは写真を大きく表示できる。手書きしたり、レイアウトしたい場合は、手書きエリアに配置するなど、目的に応じて使い分けよう。

マークアップ

POINT

メモアプリにPDFを貼って いろいろな用途に活用する

○○○○●○○○

1 メモ本文に PDFを読み込む

①メモとファイルを Split Viewで表示

②ファイルからPDFを ドラッグ＆ドロップ

③PDFがメモ本文に読み込まれる

④左右にスワイプで ページを切り替えられる

メモにPDFを読み込むには、上のように操作する。PDFのほか、PagesやNumbers、Keynoteで作成したビジネス文書のファイルも同様に読み込み可能だ。

3 サムネールを 表示する

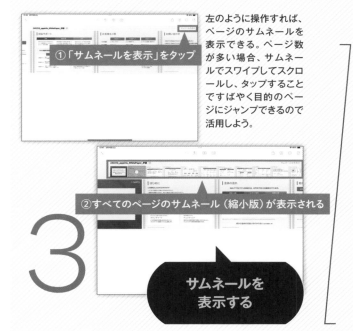

①「サムネールを表示」をタップ

②すべてのページのサムネール（縮小版）が表示される

左のように操作すれば、ページのサムネールを表示できる。ページ数が多い場合、サムネールでスワイプしてスクロールし、タップすることですばやく目的のページにジャンプできるので活用しよう。

2 読み込んだ PDFでできること

テキストを選択できる

ピンチアウト／インの操作で拡大縮小できる

注釈やコメントなどを手書きできる

メモの本文に読み込んだPDFは、横方向にページが連結される形で表示され、左右スワイプでページを切り替えられる。拡大縮小表示も可能で、テキストを選択してコピーしたり、マークアップを使って手書きしたりできる。

4 ページを操作する

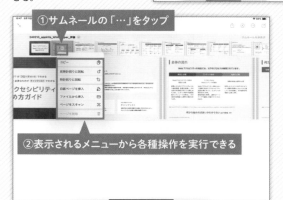

①サムネールの「…」をタップ

②表示されるメニューから各種操作を実行できる

サムネールの「…」をタップすると表示されるメニューでは、白紙のページや他のPDFのページを挿入したり、ページを削除したりできる。また、ページを回転させることも可能だ。

ちょっとした内容の確認、手書きなら「メモ」アプリで十分

仕事の文書やマニュアルなどの定番フォーマットであるPDFは、実は「メモ」アプリに読み込んで閲覧できる。しかもマークアップを使ってPDFに注釈やコメントなどを手書きすることも可能だ。

PDFなどの外部文書は、メモでは「添付ファイル」として扱われるが、メモ本文に読み込まれたPDFは専用のビューアのようにその内容をすべて表示できる。ただし、あまりにページ数の多いPDFはうまく読み込めないこともあるので、本格的なPDFビューアとしての用途には向いていない。1つのメモに複数のPDFを読み込むことができるので、参考資料としてのPDFを1カ所にまとめて管理するといった使い方がおすすめだ。

ノート内でのリンクを使って 緻密なメモを作成できる！

○○○○●○○

1 テキストにほかのメモへのリンクを設定する

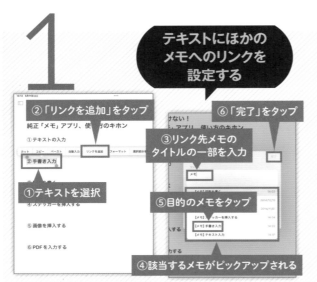

- ②「リンクを追加」をタップ
- ①テキストを選択
- ⑥「完了」をタップ
- ③リンク先メモのタイトルの一部を入力
- ⑤目的のメモをタップ
- ④該当するメモがピックアップされる

ほかのメモへのリンクを設定するには、上のように操作する。なお、リンクを設定できるのはテキストのみで、手書きした文字や図形などには設定できない。

2 リンクからほかのメモにジャンプする

- ①リンク付きのテキストをタップ
- ②リンク先のメモに表示が切り替わる

リンクが設定されたテキストは文字色が変わるとともに、下線が引かれてひとめでリンクであることがわかる。

3 リンク先メモをプレビューする

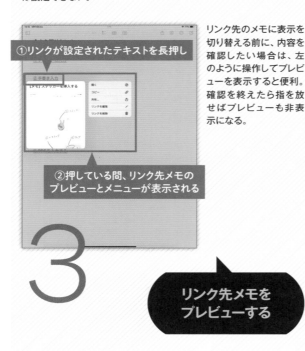

- ①リンクが設定されたテキストを長押し
- ②押している間、リンク先メモのプレビューとメニューが表示される

リンク先のメモに表示を切り替える前に、内容を確認したい場合は、左のように操作してプレビューを表示すると便利。確認を終えたら指を放せばプレビューも非表示になる。

4 リンクのテキストをリンク先メモのタイトルにする

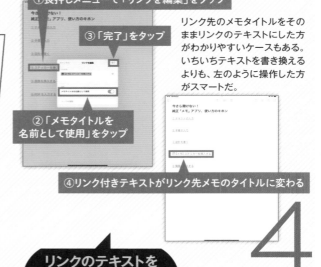

- ①長押しメニューで「リンクを編集」をタップ
- ③「完了」をタップ
- ②「メモタイトルを名前として使用」をタップ
- ④リンク付きテキストがリンク先メモのタイトルに変わる

リンク先のメモタイトルをそのままリンクのテキストにした方がわかりやすいケースもある。いちいちテキストを書き換えるよりも、左のように操作した方がスマートだ。

目次やポータルサイトのようにさまざまなメモの集約に便利!

メモの「リンク」機能を使えば、テキストをタップすることで、指定したほかのメモにジャンプして、その内容に表示を切り替える

ことができる。これは、ウェブページのハイパーリンクと同様の機能で、さまざまなニュース記事の見出しが1カ所に集約されたニュースポータルサイトで、見たい記事の見出しをタップすると、別

ページが開いてその記事の本文を読むことができるといった使い方をイメージすると、その用途がわかりやすいだろう。

大量の情報を1つのメモにまとめて書くよりは、複数のメモに分

散させて書き、それらを目次やポータルサイトのような集約型のメモからリンクする方が、視認性は高くスマートだ。リンク機能はそんな用途で使いたい。

マークアップ

Split Viewだけじゃない！
複数ウインドウでメモを確認しよう

○○○○○○●○

1

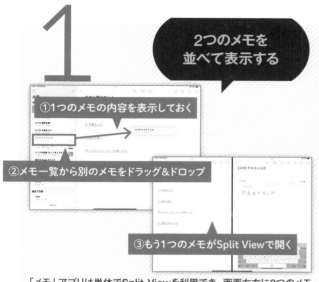

2つのメモを並べて表示する

①1つのメモの内容を表示しておく

②メモ一覧から別のメモをドラッグ&ドロップ

③もう1つのメモがSplit Viewで開く

「メモ」アプリは単体でSplit Viewを利用でき、画面左右に2つのメモを並べて表示できる。この状態からSlide Over表示に切り替えることももちろんできる。

2

メモを単独のウインドウで表示する

②「新規ウインドウで開く」をタップ

①メモ一覧で目的のメモを長押しする

上のように操作すると、特定のメモを画面中央の単独のウインドウ（センターウインドウ）に表示できる。センターウインドウに表示中のメモも、通常のメモと同様に編集可能。

③単独のウインドウでメモの内容が表示される

3

①センターウインドウ以外の部分をタップ

センターウインドウ以外の部分をタップすると、サムネール化して画面下部に表示されるようになり、サムネールをタップすることですばやく複数のウインドウを切り替えられる。ただし、センターウインドウの「閉じる」をタップするとサムネールにならないので注意しよう。

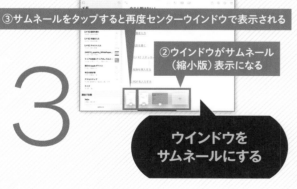

③サムネールをタップすると再度センターウインドウで表示される

②ウインドウがサムネール（縮小版）表示になる

ウインドウをサムネールにする

4

①サムネールを上にスワイプ

センターウインドウを完全に閉じないでいると、サムネールが無尽蔵に増えてしまう。しばらく参照することのないメモのセンターウインドウは、上のように操作してサムネールを削除することで閉じることができる。

②サムネールが消えてセンターウインドウが完全に閉じられる

センターウインドウを完全に閉じる

複数のメモを同時参照、並行作業する際に便利なテクニック

Split ViewやSlide Overは、異なるアプリを並べて表示するだけでなく、対応するアプリであれば、同一アプリ内のコンテンツを画面左右に並べて表示できる。「メモ」アプリでは、2つのメモを同時に参照しながら、並行して編集するといったことが可能だ。

同時表示ではないものの、複数のメモをすばやく切り替えて表示、編集できるのが、「センターウインドウ」だ。センターウインドウ自体は、1度に1つのメモの内容しか表示できないが、それまでにセンターウインドウに表示してきたメモの履歴が、サムネールとして画面下部に表示され、これらをタップすることでメモ間をスムーズかつすばやく行き来できるのが、この機能の大きな特長となっている。

メモの管理方法は超多彩！
タグとスマートフォルダがおすすめ

○○○○○○●

1 フォルダを利用する

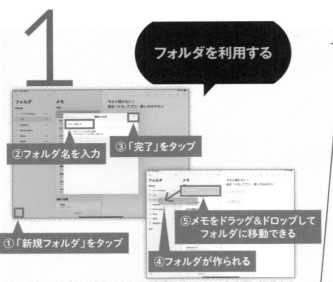

②フォルダ名を入力

③「完了」をタップ

①「新規フォルダ」をタップ

⑤メモをドラッグ＆ドロップして
フォルダに移動できる

④フォルダが作られる

「仕事」「趣味」「打ち合わせ」など、内容に応じてメモを分類、整理するならフォルダが最適。PCなどのファイル操作でもおなじみの管理手段だ。

2 スマートフォルダを利用する

③「完了」をタップ

①フォルダ作成の画面で「スマートフォルダに変換」をタップ

②目的のフィルタ（検索条件）を設定して有効にする

「画像などの添付ファイル付き」「特定の作成日」などの条件（フィルタ）を設定して、それに合致するメモを自動的に抽出するのがスマートフォルダ。条件は複数設定することもできる。

3 手書きタグを入力する

①「#」を先頭にしてタグを手書きする

#アップル

②表示される下線をタップ

主要なメモアプリでおなじみの「タグ」。通常、タグはテキストで入力するが、「メモ」アプリでは手書きしたものもタグに変換できる。「#」に続けてタグとする文字列を入力しよう。

③「タグに変換」をタップ

#アップル
タグに変換　　　#

4 タグが含まれるメモを抽出する

②選択したタグを含むメモが抽出される

①「タグ」の項目から目的のタグをタップ

メモ本文に記述したタグは、画面左のフォルダ一覧の「タグ」の項目として追加される。ここで目的のタグをタップすると、そのタグを含むメモが抽出される。

まとめ
有料アプリはもういらない？
使いやすいのに多機能な純正アプリ

　メモ、手書きメモはiPadアプリの中でも人気ジャンルで、優れたアプリが数多くリリースされているが、その中でもテキストメモ、手書きメモの両方をそつなくこなし、圧倒的に使いやすいのに「無料」である点が、標準「メモ」アプリの最大の魅力といえるだろう。また、ここで紹介した投げ縄ツールのように、アプリ自体がシンプルだからこそ、奥深いテクニックをマスターできたときの感動も大きい。

　もちろん、有料の人気アプリには及ばない面も数多くあるが、テキストメモ、手書きメモを作り、管理できれば十分と考えているユーザーにとっては、現時点での最適解といえるアプリだ。まずはこの「メモ」アプリを使い込んだ上で、物足りない、こんな機能がほしいと感じるようであれば、そのとき初めてほかのアプリを検討しても遅くはない。

マークアップ

おすすめ
手書きアプリ
SELECTION!!!
Recommended Free-Hand App Selection!!!!

50 ──── Limeboard
52 ──── Keynote
54 ──── ノート+
56 ──── Nebo
58 ──── Frexcil
60 ──── Noteshelf 3
62 ──── Notability
64 ──── CollaNote
66 ──── Noteful
68 ──── Adobe Acrobat Reader
70 ──── PDF Expert
72 ──── Note Always PDF
74 ──── フリーボード
76 ──── FigJam
78 ──── Microsoft OneNote
80 ──── Google Keep

このアプリの
ポイント
● サイズに制限がない無限キャンバス
● 無限に拡大させる方向をカスタマイズできる
● ボード上にボードを作成できる

複雑な構成のノートを作れる無限系ノート!

Limeboard

**無限キャンバスへの
こだわりを追求した
新しいノートアプリ**

「Limeboard」は、アイデアを手軽にメモするのに便利なアプリ。通常のノートアプリや無限キャンバスと異なり、周囲に余白がなくなると自動で余白を追加してくれるのが大きな特徴だ。手動で新しくページを追加したり、ピンチ操作でキャンバスを広げる必要がない。マインドマップやアイデア出し、思考整理など余白を気にせずどんどんメモを取るのに最適だ。

また、Limeboardでは新規ボード作成時に無制限に余白を追加する方向をカスタマイズすることができる。たとえば、「縦無限」設定を選択すると横の長さを固定して縦方向のみ無制限に余白を追加できる。ウェブページやPDFファイルのように情報を書き留めたいときに便利だ。切れ目のないノートアプリのような使い方もできるので、歴史の年表作りや横に長く広がる手書きの表作りにも役立つだろう。なお、「縦横固定」設定を選ぶことで通常のメモアプリのように利用できる。

さらに、大きなポイントとして、Limeboardではボード上に新たにボードを作成できる。追加したボードはFinderやフォルダのような階層的な構造となるのが特徴で画面上部にあるボードタブを使って移動し、レイヤーとはまた異なる利用が可能だ。ちなみに、Limeboardはレイヤー機能も搭載しているので、うまく使い分けよう。

Limeboard

作者／WVVU LLC
価格／無料（App内課金あり）
カテゴリ／グラフィック／デザイン

※使うLime（アイテム）数によって課金額が変わり、10 Limeで100円、100 Limeで1,200円、300 Limeで2,200円の課金になる

Limeboardのインターフェイス

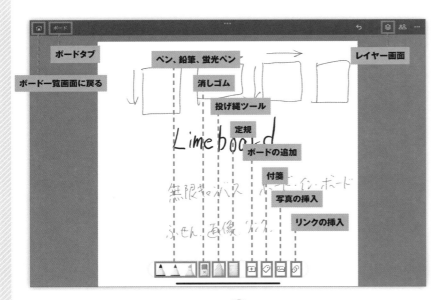

ボードタブ
ボード一覧画面に戻る
ペン、鉛筆、蛍光ペン
消しゴム
投げ縄ツール
定規
ボードの追加
付箋
写真の挿入
リンクの挿入
レイヤー画面

ボードの上にボードを追加する

**ボードの追加から
ボードの種類を選択する**

②用紙と無限設定を選択

①ボード追加ボタンをタップ

1

ボードを追加するには、ボード追加ボタンをタップして用紙とキャンバスの無限設定を選択する。

ボードを切り替える

ボードタブでボードを切り替える

2

ボード上に追加されたボードをタップするとそのボードが全面表示になる。上のボードタブでボードを切り替えることができる。

**こんな
用途に
向いて
いる!**
● 手書きのマインドマップ
● ブレインストーミング
● 複雑な構造のメモ作成

作成したボードを編集する

ボードを操作する 1

②長押ししてメニューを表示
①ドラッグして移動

ボード上に作成したボードはドラッグで好きな場所に移動できる。長押しするとメニューが表示される。

ボードに名称をつける 2

①名前をつける

②名称がつく

長押しメニューから「ボード名を編集」をタップするとボードに名前をつけることができる。名前はボード上に表示される。

ボードの階層を変更する 3

①ドラッグでボードとボードを重ねる

「上位ボードに移動」を選択

ボードとボードを重ねると、重ね先のボード内に移動する。元に戻したいときは移動したボードを長押しして「上位ボードに移動」を選択する

レイヤー機能を使おう

レイヤーを追加する 1

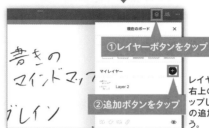

①レイヤーボタンをタップ

②追加ボタンをタップ

レイヤーを追加するには、右上のレイヤーボタンをタップして、マイレイヤー横の追加ボタンをタップしよう。

レイヤーを非表示にする 2

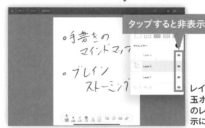

タップすると非表示

レイヤーが追加される。目玉ボタンをタップするとそのレイヤー上のものは非表示にできる。

便利なリンク挿入機能 POINT

Limeboardにはリンク追加機能があり、URLを指定するとURL先のサイト名やファビコンをクリップできる。さらに、長押しするとボード上でURL先をプレビュー表示することが可能だ。

長押ししてプレビュー

まとめ

浮かんだアイデアをメモして可視化していくのに最適なアプリ

Limeboardは、数多くの無限キャンバス系ノートアプリの中でも、非常に独特なアプリだ。無制限に拡大できる設定や、ボード機能やレイヤー機能など、キャンバスそのものに焦点を当てており、これらの機能により、アイデアをすばやく書き留めることができることと、思考や集中力を途切れさせない環境をユーザーに提供している。また、書き留めたメモを付箋を使って整理し、可視化する機能も充実している。そのため、Limeboardはマインドマップやブレインストーミングなどの活動に最適なアプリといえるだろう。

プレゼンテーション資料を作るのに便利！

keynote

**プレゼンファイルを
読み込んで手書きで
注釈を入力できる**

「Keynote」は、Appleが提供する無料のプレゼンテーション作成アプリ。用意されたテーマを選んで、写真やテキストを自分の好きなものに差し替えるだけで、初心者でもプロフェッショナルなプレゼンテーションを作成できることで知られている。

iPad版のKeynoteでは、Apple Pencilを使った操作にも対応している。Keynote上でApple Pencilを使うとマークアップのツールバーが表示され、好きなペンやカラーを選んで、スライド上に手書きで文字を書くことができる。スクリブルにも対応しており、手書きした文字をテキストに変換することも可能だ。指で操作する場合と同様に、スライド上のコンテンツを選択したり、スクロールしたりすることもできる。Microsoft PowerPointファイルの読み込みと書

き出しもできるので、これらのファイルに注釈を入力をしたいときに便利だ。

Keynoteはプレゼンテーション作成アプリなので、ほかのノートアプリにはない独自の機能が多くある。たとえば、表作成機能を使えば、Excelライクな表を追加してデータを整理することができる。さらに、図形や写真、テキストボックスなどさまざまなオブジェクトを配置し、オブジェクト上に直接手書きで注釈

やメモを追加することも可能だ。手書きを活用して説得力のあるプレゼン資料を作成したいという人におすすめだ。

Keynote
作者／Apple
価格／無料

Keynoteのインターフェース

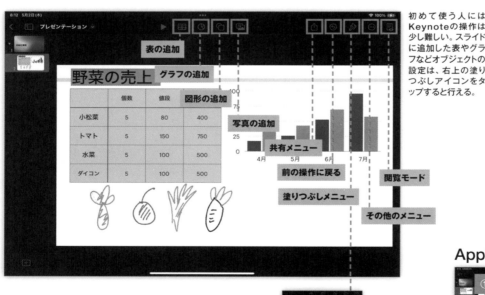

野菜の売上

	個数	値段	合計
小松菜	5	80	400
トマト	5	150	750
水菜	5	100	500
ダイコン	5	100	500

表の追加
グラフの追加
図形の追加
写真の追加
共有メニュー
前の操作に戻る
塗りつぶしメニュー
閲覧モード
その他のメニュー

初めて使う人にはKeynoteの操作は少し難しい。スライドに追加した表やグラフなどオブジェクトの設定は、右上の塗りつぶしアイコンをタップすると行える。

表やグラフの塗りつぶしの設定はここから！

**こんな
用途に
向いて
いる！**
- 手書きを加えて説得力のあるプレゼン作成
- プレゼン資料に対する注釈
- データ整理が充実したノート作り

Apple Pencilを使うには？

①Apple Pencilで画面をタップ

②マークアップツールが表示される

Apple Pencilで画面をタップすると画面下からマークアップツールが表示され、手書きで描画ができる。

表を追加して
データをスクリブルで入力する

スクリブル機能を有効にする

1

マークアップツールを表示させたら、左端のスクリブルを有効にする。表の入力したいセルをタップして選択状態にする。

手書きでデータを入力する

2

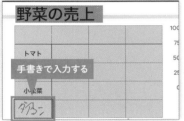

手書きでセル内に文字を入力しよう。スクリブルが働き、自動でテキストに変換され、セル内にきれいに配置される。

表内のテキストをカスタマイズする

3

入力したテキストの書体やカラーなどもセル単位で変更できる。右上の塗りつぶしボタンをタップして「セル」を開き、カスタマイズしよう。

PowerPointファイルに
注釈を入力する

書類画面からファイルを読み込む

1

書類画面を開きサイドバーからPowerPointファイルが保存されているアプリを選択し、PowerPointファイルをタップしよう。

手書きで注釈を入力する

2

ファイルが読み込めたらマークアップツールを起動して、手書きで注釈を入力しよう。

PowerPointファイルで書き出す

3

右上の共有メニューをタップしてフォーマットを選択する。PowerPoint形式のほか、PDFやGIFなどさまざまな形式で出力することが可能だ。

まとめ

パワポファイルを
読み込んで
手書きで注釈できる
希少なアプリ！

iPad版KeynoteがApple Pencilによる手書きに対応したのは2018年のことだが、当時は使い勝手が良くなく、あまり話題にならなかった。しかし、iPadOSのアップデートによりスクリブルやマークアップツールがそのままKeynoteで利用できるようになったことで、現在のKeynoteは劇的に使いやすくなった。特にWindowsのPowerPointファイルを読み込んで手書きで注釈を入れたり編集したりできる点は大きなメリット。さらに、書き出す際もKeynoteだけでなくPowerPointで書き出せるため利便性が高い。そして、完全無料でありアプリ内課金がないのも魅力的だ。

オンライン学習に最適なノートアプリ！

ノート＋

ピクチャ・イン・ピクチャで動画を再生しながらノートを作成できる

YouTube動画をはじめコーチング動画を見ながらその内容をノートにメモする機会が多い人は「ノート＋」を使おう。ノート＋は、オンラインで授業を学ぶ際にあると便利なツールが多数搭載されているノートアプリだ。

ノート＋には、動画を登録するとその動画をノート上で再生しながらノートに手書き入力できる機能がある。再生中の動画はピクチャ・イン・ピクチャ形式となっているため、iPadの画面のどこにでも移動させることができる。ノートに埋め込む形式ではないので、余白がなくなったときでも新しくページを追加して、続けてノートにメモを取るとが可能だ。さらに、ノートに登録した動画はツールバー右上にある「レッスン動画」にリスト形式で保存され、あとで、どのペ

ージからでもすぐに呼び出すとができる。登録できる動画は「写真」や「ファイル」などiPad画面に保存されているファイルのほか、YouTubeの動画やUdemyのコーチング動画など、ウェブ配信している動画を登録して再生するこも可能だ。

学習に役立つ便利なツールを多数搭載しているのもノート＋の魅力だ。電卓を使ってノート上で素早く計算したり、暗記シートを使ってノート上の一部を

非表示にできる。また、Google翻訳をノート上から呼び出すことができ、翻訳したいテキストをペーストして指定した言語に素早く翻訳することも可能だ。

ノート＋

作者／Beijing Free Calculator Technology Co., Ltd.
価格／無料
カテゴリ／仕事効率化

ノート＋のインターフェース

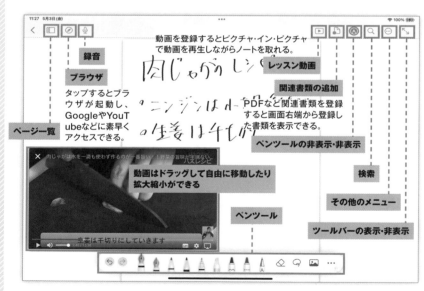

動画を登録するとピクチャ・イン・ピクチャで動画を再生しながらノートを取れる。

録音

ブラウザ
タップするとブラウザが起動し、GoogleやYouTubeなどに素早くアクセスできる。

ページ一覧

レッスン動画

関連書類の追加
PDFなど関連書類を登録すると画面右端から登録した書類を表示できる。

ペンツールの非表示・非表示

動画はドラッグして自由に移動したり拡大縮小ができる

検索

その他のメニュー

ペンツール

ツールバーの表示・非表示

通常のノートと特大キャンバスがある

新規ノートの作成

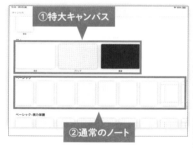

①特大キャンバス

②通常のノート

1

ノート作成画面では、通常のノート（ベーシック）のほかに「特大」というものがある。これは無限キャンバスとよく似ている。

無限キャンバスではない点に注意

①キャンバス全体

②ピンチ操作で拡大縮小できる

2

「特大」はインターフェースが通常のノートと少し異なる。画面右上にキャンバス全体がサムネイル表示され、ピンチ操作で拡大縮小をして余白を調節できる。

こんな用途に向いている！
●オンライン授業のノート作成
●資料を元にしたノート作成
●暗記の補助

YouTube動画を登録して再生する

動画サービスを選択する

1

①レッスン動画をタップ

②「YouTube」を選択

ノート上で動画を再生するには、ツールバー右上のレッスン動画ボタンをタップする。YouTubeを再生する場合は「YouTube」を選択。

動画を登録する

2

星アイコンをタップ

ブラウザが起動してYouTubeが開く。ノートに追加したい動画の再生画面を表示したら右上の星アイコンをタップしよう。

「大画面のPiP」を選択

3

②ドラッグで自由に移動できる

①「大画面のPiP」をタップ

レッスン動画に動画が追加される。ノート上で再生する場合は「大画面のPiP」をタップするとピクチャ・イン・ピクチャ形式でノート上で動画を再生できる。

ウェブページやPDFもノートに追加できる

ウェブページを追加する

1

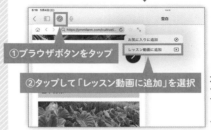

①ブラウザボタンをタップ

②タップして「レッスン動画に追加」を選択

左上のブラウザボタンをタップするとブラウザが起動する。右上の星ボタンから「レッスン動画に追加」をタップする。

レッスン動画に追加される

2

①レッスン動画をタップ

②「リンクを開く」をタップ

レッスン動画画面を起動すると、ウェブページが追加される。「リンクを開く」をタップすると追加したページをブラウザで開ける。

PDFも追加できる

POINT

また、右上の関連書類の追加ボタンをタップするとiPad内やクラウドストレージに保存しているPDFを選択してノートに追加することができる。

①関連書類の追加ボタンをタップ

②保存先からPDFを選択する

まとめ

さまざまな資料を脇においてノートを作成したい人におすすめ

今回はおもにYouTubeのコーチング動画を参考にノートを作成する方法を解説したが、ノート＋は、PDFやウェブページなどさまざまなメディアをノートとリンクさせる機能がある。そのため、資料を脇に置いてノートを作成するのに便利なノートアプリといえるだろう。ノート＋アプリ内にブラウザやPDF変換、電卓、時計など独自のツールを搭載しているので、Split Viewで別のアプリを開いて併用しているときよりもスムーズなノート作成ができるだろう。

手書きでメモした内容をデジタルデータに変換する

Nebo

スクリブルより使いやすい デジタル変換機能搭載の 手書きノートアプリ

iPadOSでは、手書き文字をテキストに変換してくれるスクリブル機能が搭載されているが、入力した手書き内容がすべて自動でテキスト化されてしまうのも不満が残る。スクリブルより使い勝手の良いノートアプリを探しているなら「Nebo」を使おう。

Neboは、スクリブル機能が搭載される以前から手書きした文字をテキスト形式に変換できる

ことで人気のノートアプリ。入力した文字すべてが自動的に変換されるのではなく、必要な部分だけを選択してテキスト変換できる。「戻る」ボタンから一度テキスト変換された文章を手書き文字に戻すことができる点も便利だ。

また、手書きした四角や矢印をタップすると、きれいな形に自動修正する図形機能や、ダイアグラムや数式などをきれいに描けるのでテキスト変換機能と組み合わせれば学習ノートの作成に便利だ。

本アプリはOCR（光学認識機能）が抜群に優れており、汚い走り書きの手書き内容でも、かなり正確に変換することができる。文章全体の文脈を判断して変換してくれるので、長文であればあるほど認識精度は高くなる。

最新版で追加された「メモ」機能は、無制限キャンバス仕様になっており、周囲に余白がなくなった場合でもスクロールすることでスペースを追加することができる。従来版ももちろんあり、ノートのように上から下に横書き

でメモを記録することが可能だ。なお、操作方法はどちらも基本的には同じだ。

Nebo
作者／MyScript
価格／無料(App内課金あり)
カテゴリ／
仕事効率化

※機能別に別れたApp内課金があるが、1,300円の一度限りの支払いでフルバージョンとなる。

Neboのメイン画面

「文書」版のインタフェース

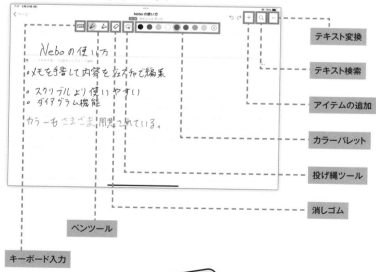

テキスト変換

テキスト検索

アイテムの追加

カラーパレット

投げ縄ツール

消しゴム

ペンツール

キーボード入力

「メモ」版のインタフェース

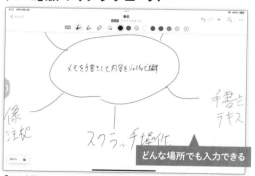

どんな場所でも入力できる

「メモ」版はテンプレートが方眼紙になっており、ほかのノートアプリのようにどの場所でも入力できる。

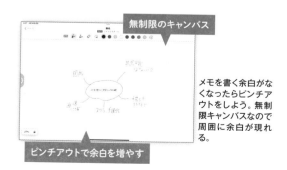

無制限のキャンバス

メモを書く余白がなくなったらピンチアウトをしよう。無制限キャンバスなので周囲に余白が現れる。

ピンチアウトで余白を増やす

こんな用途に向いている！
● 大学の講義ノートのデジタル化
● スクリブルより丁寧な変換
● 数式の作成

「文書」版で手書きメモを
テキストデータに変換する

手書きしたメモを変換する 1

②メニューから「変換」を選択する
①ダブルタップ

手書きメモを作成したあと、テキストデータに変換したい行をダブルタップ、もしくはタップして右にある「…」から「変換」を選択しよう。

「すべて変換」を選択する 2

「すべて変換」をタップ

手書きしたメモ全体をテキストデータに変換する場合は、右上の「…」をタップして「すべて変換」を選択しよう。

変換したデータを外部へ保存する 3

エクスポート方法を選択する

外部へエクスポートするには、右上の「…」から「エクスポート」を選択しよう。

新しく追加された
「メモ」版を使いこなそう

手書き内容をテキスト化する 1

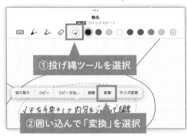

①投げ縄ツールを選択
②囲い込んで「変換」を選択

「メモ」版で手書きした文字をテキスト化する場合は、投げ縄ツールで囲い込んで「変換」を選択しよう。

きれいな図形を描く 2

図形を描いたあと、ペンを画面から離さない

きれいな図形を描きたい場合は、図形を描いたあとペンを画面から離さずしておくと自動で整形してくれる。

「メモ」と「文書」でも使える
スクラッチ操作 POINT!

NeboはApple Pencilのスクリブルの編集機能と同じように、「メモ」でも「文書」でも消去したい部分をジグザクでこするだけで削除できる。なお、「文書」では、縦線を引くだけで改行もできる。

ジグザグに描く

まとめ

プレゼン資料制作や
数学ノートにも
活用できる

手書きした文章をテキストに変換するノートアプリはたくさんあるが、本アプリはページ内すべての文字を一括で変換できたり、一行だけ変換できたりと選択肢が多様なのが特徴だ。

新しく追加された「メモ」は、無制限キャンバスのノートアプリで手書きの長い数式やマインドマップ作成などに役立つ。そのため日常のメモとして利用するよりも、学校や研究機関、職場などの利用で活躍が期待されるアプリだ。

このアプリのポイント
- ●PDFから気になる箇所を抜き出してまとめることができる
- ●複数PDFから1つのノートに内容をまとめることができる
- ●PDF注釈アプリとしても便利な機能を搭載

PDF注釈とノートアプリを同時に使える

Flexcil

PDFの気になる箇所を切り取ってノートにまとめていこう

文書ファイルから気になる箇所に注釈やメモを入れるだけでなく、同時にノートも作成したい場合は「Flexcil」を使おう。

PDFに直接注釈を加えるGoodnotes 6やNoteshelfに対し、Flexcilでは画面の片側に書類を開き、もう片側に白紙のノートを作成できる。開いた文書をもとにノートを作成するほか、気になる箇所を切り抜いてまとめるという使い方がメインになる。抜き出した箇所(スタディノートと呼ばれる)をタップすると該当する文書が起動して、その場所を表示してくれる。長い文書から気になる箇所をひと目で把握したいときに役立つ。スタディノート上にも文書ファイルと同じように手書きで自由に手書き入力することができる。

なお、通常のノートアプリやPDF注釈アプリのように文書ファイルに対して、直接下線やハイライトを引いたり、テキストや写真を挿入することもできるので、PDF注釈アプリとしても利用できる。

Flexcilが、類似アプリと異なり便利なのは、複数の文書から抜き出したスタディノートを1つにまとめることができること。もちろん各スタディノートをタップするとそれと紐付けられた文書を素早く起動できる。

読み込み可能なファイル形式はPDFのほかに、Word、PowerPointなどオフィスファイル。また、JPEGやPNGなどのイメージファイルを読み込むことができる。また、iCloudだけでなくDropboxやGoogleドライブなどクラウドストレージに接続してファイルを読み込むこともできる。

Flexcil ノート &PDFリーダー
作者／Flexcil Inc
価格／無料(App内課金あり)
カテゴリ／仕事効率化

※さまざまな機能別に分かれた課金パックがある。

Flexcilにファイルを読み込もう

1 サイドバーを開く

①「ドキュメント」を選択
②タップ

Flexcilを起動したらサイドバーから「ドキュメント」を選択する。右下の追加ボタンをタップする。

2 読み込み先を指定する

iPad端末内のファイルはここから

DropboxやGoogleドライブはここから

「ファイル」アプリからファイルを読み込む場合は「ファイル」、クラウドストレージから読み込む場合は「クラウド連携」を選択する。

Flexcilの書類画面を把握しよう

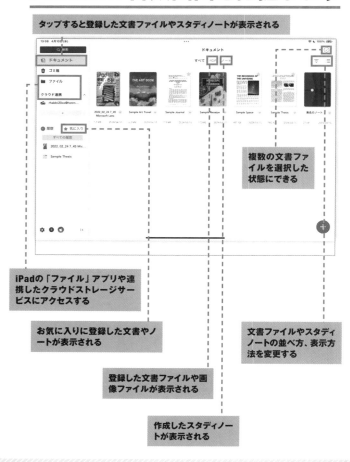

タップすると登録した文書ファイルやスタディノートが表示される

複数の文書ファイルを選択した状態にできる

iPadの「ファイル」アプリや連携したクラウドストレージサービスにアクセスする

お気に入りに登録した文書やノートが表示される

文書ファイルやスタディノートの並べ方、表示方法を変更する

登録した文書ファイルや画像ファイルが表示される

作成したスタディノートが表示される

こんな用途に向いている!
- ●複数の文書から1つのノートに要点をまとめたいとき
- ●文書ファイル自体にも直接注釈をつけたいとき
- ●元の文書とスタディノートを紐付けたいとき

スタディノートを使って重要な部分をメモする

1 スタディノートを表示させる

①三本指でスワイプ

②スタディノートが現れる

開いているPDFから指定した部分をスクラップする場合は、画面下部から三本指で上へスワイプしよう。スタディノートが表示される。

2 範囲指定してドラッグ&ドロップ

①ジェスチャモードにする

②範囲選択して長押しする

③ドラッグ&ドロップする

内容を貼り付けるにはジェスチャモードに変更する。対象の部分を範囲選択して長押しして、スタディノートにドラッグ&ドロップしていこう。

3 スタディノートを開く

①「ノート」をタップ

②ノートをタップ

作成したスタディノートを確認するには、書類画面の「ドキュメント」から「ノート」を選択。表示されるノートをタップするとスタディノートが一覧表示される。

PDFに直接注釈を入力する

1 ペンモードに変更する

①タップ

タップしてサイズやカラーを調節する

PDFに直接注釈を付ける場合は、左側のドローイングボタンをタップしてペンモードに変更しよう。ツールバーが変更し、ペンやマーカー、消しゴムなどが利用できるようになる。

2 ペンのカラーや種類を変更する

投げ縄ツールをタップ

囲い込み、編集メニューを選ぶ

入力した注釈を編集したい場合は、投げ縄ツールを使おう。編集したい箇所を囲いこむと編集メニューが表示される。

スタディノートを切り替えるには

POINT

現在表示しているスタディノートを別のスタディノートに切り替えたい場合は、左上にある一覧ボタンをタップ。ノート一覧画面が表示されるので、目的のノートを選択しよう。

タップ

まとめ

慣れればものすごく快適なスクラップノート

Flexcilを初めて使用するユーザーにとっては、PDF注釈ツールと手書きノートが1つになった、その独特なインターフェースや操作感になかなか馴染めず手放してしまいがちだが、慣れれば、数あるスクラップノートアプリでも最も利便性の高いアプリといえるだろう。特に複数の文書ファイルから1つのノートにまとめることができるのは大きなメリットだ。現在もアップデートは頻繁で、録音機能や2ページ、または4ページを同時に表示できるなど機能が追加されており、今後も期待される。

06

このアプリの
ポイント
●AI機能を使ってノートを作成できる
●多彩なテンプレート
●優れた消しゴム機能

AI機能が追加された定番ノートアプリの最新版

Noteshelf 3

**ノートアプリで調べたい
ことをAIに質問して
そのままノートに記録できる**

ノートアプリを検索すると、Goodnotesと並んでよく目立つのが「Noteshelf」だろう。Noteshelf 3は、利用できるペンや消しゴム、シェイプ、テンプレートの種類が豊富でカスタマイズ性が高いことで高く評価されているNoteshelfシリーズの最新版だ。

Noteshelf 3の最大の特徴は、「Noteshelf AI」というAI機能を搭載していることだ。質問したい内容を入力するとAIが質問に答えてくれ、その内容をノートにテキスト形式で追加することができる。また、投げ縄ツールで手書きした内容を囲い込むと、AIがそれらを認識してテキストに変換したり、選択した部分を要約してくれる。ただし、「Noteshelf AI」機能を日本語で利用するには、有料プランにアップグレードする必要がある。そのま

までも利用できるが、質問した内容は英語で出力される。

従来版から評価が高かったテンプレートの種類はさらに増えている。日記、カレンダー、計画表、マインドマップなどが用途ごとにカテゴリ分類されているため、欲しいテンプレートを簡単に見つけることができる。

消しゴム機能も優れており、オート機能を使用すると、ペンの動きに応じて自動でサイズを調節してくれる。また、「ハイラ

イトのみ消去」「鉛筆のみ消去」など、特定のペンで描いたものだけを消去する機能がある。これは、鉛筆ペンで下書きした内容を消去したいときに役立つだろう。

Noteshelf 3

作者／Fluid Touch
Pte. Ltd.
価格／1,200円

Noteshlef 3のインターフェース

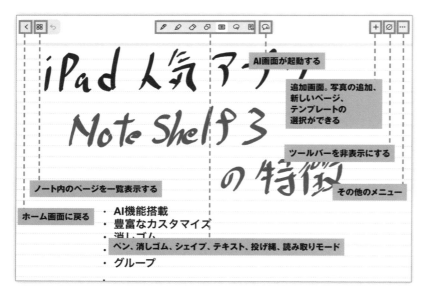

- AI画面が起動する
- 追加画面。写真の追加、新しいページ、テンプレートの選択ができる
- ツールバーを非表示にする
- その他のメニュー
- ノート内のページを一覧表示する
- ホーム画面に戻る
  - ・AI機能搭載
  - ・豊富なカスタマイズ
  - ・消しゴム
  - ・ペン、消しゴム、シェイプ、テキスト、投げ縄、読み取りモード
  - ・グループ

AIの言語設定を
日本語にする

ホーム画面の設定を開く

①タップ

②「設定」をタップ

1

言語設定を変更するには、ホーム画面を開き、右上の設定ボタンをタップして「設定」を選択する。

「手書き」から
言語設定を変更する

①「手書き」をタップ

②「言語」をタップして日本語似設定する

2

設定画面で「手書き」をタップして、「言語」をタップして、日本語を指定しよう。これでAIの認識言語が日本語になる。

こんな用途に向いている!
- AIの機能をノートアプリで使いたい
- 豊富なテンプレートから選びたい
- 定評のある安定したノートを使いたい

Noteshelf AIを使ってみよう

AIに質問する

1

①AIアイコンをタップ
②質問を入力する

ツールバーのAIアイコンをタップし、表示されたフォームに質問内容を入力しよう。回答が表示されるので「ページに追加する」をタップ。

投げ縄ツールで囲んでAIに編集させる

2

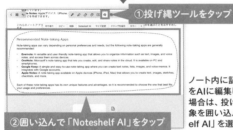

①投げ縄ツールをタップ
②囲い込んで「Noteshelf AI」をタップ

ノート内に記載された内容をAIに編集してもらいたい場合は、投げ縄ツールで対象を囲い込んで「Noteshelf AI」を選択する。

無料版でも日本語で出力するには

AI機能は無料版だと英語でしか回答を出力しない。しかし、英語で出力した内容を投げ縄ツールで囲い込んで、Noteshelf AIに日本語に翻訳してもらえば、日本語に変換することができる。

POINT

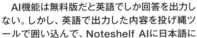

Noteshelfのテンプレートを使ってみよう

ホーム画面からテンプレートを選択する

1

①タップ
②テンプレートを選択

ホーム画面のメニューから「テンプレート」を選択すると、さまざまなテンプレートが表示されるので、利用したいものを選択しよう。

使用目的を選ぶ

2

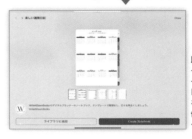

既存のノート上でテンプレートを使いたい場合は「ライブラリに追加」を、テンプレートから新規ノートブックを作成する場合は「Create Notebook」を選択しよう。

既存のノートからテンプレートを挿入する

3

②「テンプレートを選択」をタッ

新規ページ作成画面のメニューから「テンプレートを選択」で、ライブラリに追加したテンプレートを挿入できる。

①メニューボタンをタップ

まとめ

以前は弱かったノート管理機能が大幅に強化されている点にも注目！

Noteshelf 3は、元々多機能なNoteshelf 2をさらに充実させたアプリといえる。AI機能が注目されることが多いが、以前の弱点であったノート管理機能も大幅に改善されているので、その点にも注目すべきだ。新しいノート管理機能では、ホーム画面の「カテゴリー」からフォルダを作成し、ノートを整理することができる。また、ノート同士を重ねることでグループ化も可能だ。さらに、各ノートにタグを追加することができ、ホーム画面のタグエリアから迅速に目的のノートを見つけることもできる。Goodnotesシリーズを使っている人は、試用してどちらが使いやすいか検討してみよう。

このアプリの
ポイント
● ページ間で線が途切れることがない
● 録音機能が優れている
● 多彩な挿入機能が利用できる

ボイスレコーダーが連動できるノートアプリ

Notability

優れた録音機能や
豊富な挿入機能がある
人気ノートアプリ

「Notability」は、Goodnotes 6と並んで人気の多機能で使いやすいノートアプリ。アプリを起動すると画面左側にノートが一覧表示され、右側にノートの内容がプレビュー表示される。ノートはグループ化して分類することも可能だ。Notabilityは、上下スクロールでページ切り替えする際に、ページ間で線が途切れない無制限キャンバ

ス的な要素があるため、縦長のイラストを描いたり、インポートしたウェブページに注釈を入力する際に役立つ。

Notability最大の特徴は録音機能の便利さだ。バックグラウンドで音声を録音しながら、手書きのメモを取ることができる。録音中に書きとったメモをタップすると、そのメモを入力した時間に録音された部分を頭出しできるのがほかのノートアプリとの大きな違いで、気になるメモの

音源部分を聞き返したいときでも、シークバーを動かして該当箇所を探し出す必要がない。

挿入機能が豊富でイメージファイルのほか、ステッカー、GIFアニメ、付箋を追加できる。付箋機能はノートと独立した関係となっており、付箋を移動したりサイズを変更すると、付箋上に入力したメモも連動して変更する。付箋メニューは多彩で、ペーパーカラーを変更したり、テキストの折り返し設定や角の形をカ

スタマイズすることもできる 。最新版ではテープ機能が追加され、メモの一部を隠すことができる。暗記学習にも最適なツールだ。

Notability

作者／Ginger Labs
価格／無料(App内課金あり)
カテゴリ／仕事効率化

※限定された基本機能は無料で利用でき、フル機能も14日間は試用できる。その後は年額1,480円のサブスクとなる。

Notabilityのインターフェース

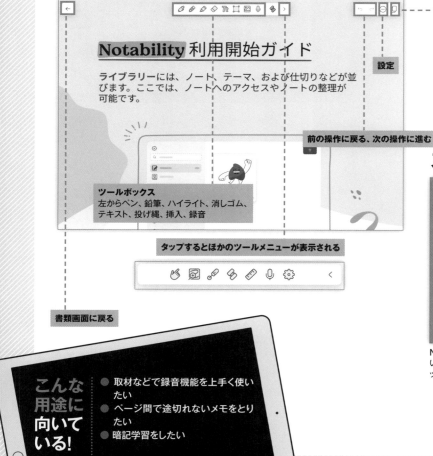

ノート内のページをサムネイル表示する

設定

前の操作に戻る、次の操作に進む

ツールボックス
左からペン、鉛筆、ハイライト、消しゴム、テキスト、投げ縄、挿入、録音

タップするとほかのツールメニューが表示される

書類画面に戻る

スクロール方向を変更する

① メニューボタンをタップ

② 「ビュー設定」から「シングルページ」にチェックを入れる

Notabiltyは標準では縦スクロールになっている。横スクロールに変更したい場合は、設定ボタンから「ビュー設定」を開き、「シングルページ」にチェックをつけよう。

こんな用途に向いている!
● 取材などで録音機能を上手く使いたい
● ページ間で途切れないメモをとりたい
● 暗記学習をしたい

音声録音機能を 使ってみよう

録音しながらメモを取る 1

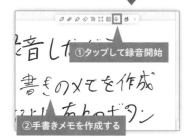

①タップして録音開始
②手書きメモを作成する

録音しながら手書きメモを作成するには、右上の録音ボタンをタップする。ボタンが変化して録音が始まるので、手書きノートを作成していこう。

録音した音声を再生する 2

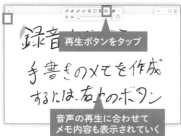

再生ボタンをタップ
音声の再生に合わせて メモ内容も表示されていく

録音した内容を再生するには、再生ボタンをタップする。コントロールバーが表示され、再生が始まる。音声の再生に合わせて、自分が書き込んだメモが薄い字から濃い字に変わっていく。

録音したファイルを編集する 3

編集ボタンをタップ

41秒 2024/04/13 8:44
再生の設定
チューニング

録音した音声を再生、編集するには右上の編集ボタンをタップ。録音したファイルが表示される。左にスワイプすると削除、「編集」で内容を編集できる。

便利なメディア機能を 使いこなす

付箋を追加する 1

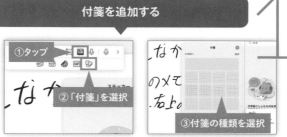

①タップ
②「付箋」を選択
③付箋の種類を選択

付箋を追加するには、右上のメディアボタンをタップして「付箋」をタップ。付箋の種類から好みのものを選択しよう。

付箋を編集する 2

①タップしてメニューを表示させる
②ドラッグで移動、ピンチイン・アウトで拡大縮小

付箋のサイズや位置を変更するには、付箋をタップし、周囲にさまざまなメニューが表示されたら、ドラッグやピンチイン・アウト操作で付箋をカスタマイズできる。

ウェブページをインポートする 3

アドレスバーからドラッグ&ドロップ

Split Viewで表示しているSafariのページを保存するには、アドレスバーからノートにドラッグ&ドロップするだけでよい。

まとめ

Goodnotes 6や Noteshelfと並ぶ 3大ノートアプリの1つ

Notabiltyは、Goodnotes 5やNoteshelfと並んでよく紹介される評判のノートアプリの1つ。ここでは録音機能のメリットに焦点をあてて解説したが、実際はもっと多機能でカスタマイズ性の高い付箋やほかのユーザーが作成した、テンプレートをダウンロードできるなど、ほかのノートアプリにはない独特な機能を有している。

さらに、Mac版やiPhone版アプリも用意されておりiCloudでノートアプリを同期できる。Goodnotes 6やNoteshelfに慣れたら試用してみて、乗り換えを検討してもいいだろう。

25本以上のペンを使って美しいノートが作れる

CollaNote

多彩なペンやツールを使って、きれいな色合いの手書きノートが作成できる!

「CollaNote」は、お絵描きアプリのようなカラフルで見栄えの良いノートを作成をしたい人におすすめのアプリだ。他のノートアプリを圧倒する25種類のペンやブラシを搭載しており、無料版でも利用できるペンにはボールペン、万年筆、フェルト、破線、点線など6種類と、2種類のハイライトマーカーが用意されている。さらに、各ペンのカスタマイズ性も高く、ペンの太さや透明度を細かく調整でき、作成した自分好みのペン設定は「お気に入り」に追加することで、ノート横からいつでも呼び出せる。

CollaNoteでは、150以上のデザイン性の高い用紙やカバーのテンプレートが無料で利用できる。有料版では、CollaNote独自のインクエンジンを利用することで、実際に筆記具や紙を使っているかのような書き心地を味わうことができる。美しいノートアプリの作成にこだわるならCollaNoteがおすすめだ。

また、作成したノートの管理機能も充実している。作成したノートはフォルダを使って分類できる。フォルダの中にフォルダを作り入れ子構造にすることも可能だ。さらに、CollaNoteで作成したノートは自動的にiPad標準の「ファイル」アプリに保存され、ファイルアプリからノート開くことができる。iCloudと同期を有効にすれば、ノートやフォルダを保存し、iPadを買い替えても引き続き、同じノートを継続して利用することができる。

CollaNote
作者／Zauberberg Lab Company Limited
価格／無料(アプリ内課金あり)
カテゴリ／仕事効率化

※プレミアム機能は900円、1,200円、1,800円のプランがある。

CollaNoteのインターフェース

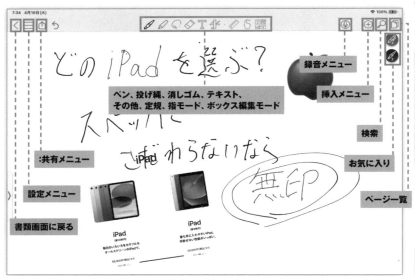

録音メニュー

ペン、投げ縄、消しゴム、テキスト、その他、定規、指モード、ボックス編集モード

挿入メニュー

検索

:共有メニュー

お気に入り

設定メニュー

ページ一覧

書類画面に戻る

こんな用途に向いている!
● カラフルで丁寧なノート作りをしたい
● ノートを常にバックアップしたい
● ノートを細かく分類したい

CollaNote独自の個性的なツール

レーザー、翻訳、シェイプ機能

1

ツールバーの左から6番目のアイコンをタップすると、レーザー、翻訳ツール、シェイプツールの使用や設定変更ができる。

挿入コンテンツの編集

①タップ

②コンテンツをタップして編集する

2

挿入した写真やステッカーなどの編集をしたいときは、ツールバー右端のボタンをタップしよう。挿入したコンテンツのみ編集操作できるようになる。

自分好みのペン設定を
お気に入りに追加する

1 ペンの設定をお気に入りに追加する

①ペンをタップしてペンの設定をする

②「お気に入りに追加する」をタップ

ペンの設定をお気に入りに追加するには、ペンの設定後、「お気に入りに追加する」をタップする。画面右に追加したペン設定のアイコンが表示される。

2 お気に入りアイコンの位置を変更する

①長押ししてドラッグ

②ゴミ箱にドラッグ&ドロップして削除

アイコンの位置をカスタマイズしたい場合は、アイコンを長押ししてドラッグしよう。削除する場合は右下のゴミ箱にドラッグ&ドロップする

手書きの長押しで
シェイプを描く

シェイプツールを利用しなくても、ペンを使ってきれいな図形を描くこともできる。手書きで図形を描いたあと、画面からペンを離さず長押しすると図形になる。長押し時間の設定はペンの「詳細設定」で変更できる。

①「詳細設定」を開く

②長押し時間を設定する

POINT !

優れた管理機能で
ノートを整理する

1 フォルダを作成する

①「新規フォルダ」をタップ

②フォルダ名を入力

「Done」をタップ

フォルダを作成するには、書類画面の下にある「新規フォルダ」をタップし、続けてフォルダの名前を入力して「Done」をタップする。

2 ノートをほかのフォルダに移動する

②「移動」をタップして移動先を指定する

①メニューボタンをタップ

ノート右下にあるメニューボタンをタップして「移動」をタップし、移動先のフォルダを指定すると移動できる。

3 ファイルアプリでノートを管理する

①「このiPad内」をタップ

②「CollaNote」をタップ

③ドラッグで移動

ファイルアプリの「このiPad内」を開くと「CollaNote」フォルダがあるのでタップしよう。作成したノートが表示され、ドラッグ操作でフォルダ移動できる。

まとめ

お気に入り機能がなくなったNoteshelf 3の代替アプリになるか？

これまでカラフルなノート作りに適したアプリとして有名だったのがNoteshelfだった。しかし、最新版のNoteshelf 3では、設定したペンをお気に入りとして保存する機能がなくなってしまった（Noteshelf 2はあり）。そのため、今後、Noteshelfの代替アプリとしてCollaNoteをおすすめしたい。CollaNoteでは、作成したお気に入りの配置を自由にカスタマイズできるだけでなく、利用できるペンの種類も格段に多い。より美しいカラフルなノート作りが可能になるだろう。

レイヤーも使える！個性的な手書きノート

Noteful

レイヤーを使って暗記したい内容を効率的に頭に入れよう

「Noteful」は、レイヤー機能を搭載した数少ないノートアプリだ。1枚のページ上に複数のレイヤーを重ねて利用することが可能で、その利点は非常に多岐にわたる。

レイヤーを使うことで、新たなページを作成せずに情報を1枚のページに簡潔にまとめることができる。情報を探す手間を大幅に軽減し、クリエイティブな作業やプロジェクトの管理がスムーズに行えるだろう。

レイヤーごとに表示/非表示が可能なので、暗記シートなどに活用するのは非常に便利だ。暗記したい特定の文字の上にレイヤーを追加して、下のレイヤーを隠すことで勉強の効率がグッと上がるだろう。

レイヤーの編集機能も非常に充実している。投げ縄ツールを用いて情報を指定したレイヤーに移動させたり、複数のレイヤーを1つに合成してバラバラに分割された情報をまとめ上げることもできる。

また、Notefulはノートを効果的に管理する強力なタグ付け機能がある。「#○○」という形式でタグをつけることができ、書類画面にあるタグリストから素早く目的のノートを見つけることができる。タグは一冊のノートに対していくつでも追加でき、「親タグ/小タグ」という形式で入力することで、タグをグループ化し階層表示することもできる。

Noteful
作者／Noteful Technologies Ltd
価格／無料（プレミアム版:700円）

Notefulのインターフェース

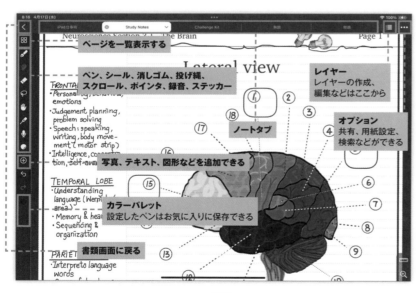

- ページを一覧表示する
- ペン、シール、消しゴム、投げ縄、スクロール、ポインタ、録音、ステッカー
- レイヤー レイヤーの作成、編集などはここから
- ノートタブ
- オプション 共有、用紙設定、検索などができる
- 写真、テキスト、図形などを追加できる
- カラーパレット 設定したペンはお気に入りに保存できる
- 書類画面に戻る

効果的なレイヤー機能の使い方

暗記したい内容をレイヤーでまとめる　1

「答え」など暗記したい内容

まず、英単語など暗記したい内容を1つのレイヤー内でまとめて記載しておく。

暗記したい内容を非表示にする　2

①暗記したい内容のレイヤーのみ非表示にする
②非表示になる

レイヤー画面で暗記したい内容のレイヤーだけを非表示にすれば赤シートのように活用できる。

こんな用途に向いている！
- 暗記学習ノートの作成
- プロジェクトの管理
- アイデアの整理

レイヤー機能で情報を整理しよう

レイヤーを追加する　1

①タップ
②「追加」をタップ

レイヤー機能を利用するには、画面右上にあるレイヤーボタンをタップする。「追加」をタップするとレイヤーが追加される。

レイヤー機能を使いこなそう　2

③長押ししてレイヤーの順番を変更
①編集ボタン
②表示・非表示ボタン

レイヤー右端の「…」をタップすると名称変更や結合が行える。非表示にしたい場合は目玉ボタンをタップ。長押しすると並び替えができる。

投げ縄ツールでレイヤーを編集する　3

①投げ縄ツールを選択
②対象を囲い込んでメニューから「レイヤーに移動」を選択

ノート上の一部をほかのレイヤーに移動させたい場合は、投げ縄ツールで囲い込み、メニューから「レイヤーに移動」を選択し、移動先のレイヤーを指定しよう。

タグを使ってノートを管理する

タグを追加する　1

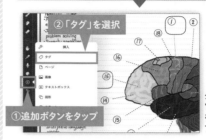

②「タグ」を選択
①追加ボタンをタップ

タグをつけるノートを開き、ツールバーから追加ボタンをタップし、「タグ」をタップ。

#以下の文字を設定する　2

#以下の文字を入力する

タグ作成画面が表示される。入力ボックスにタグ名を入力しよう。「#」は自動的に付与されるので、「#」以下の文字を入力しよう。

親タグと子タグを付ける　3

①親タグを入力
②「/」(スラッシュ)で区切って小タグを入力

ノート内に複数のタグをつける場合は、タグを「親タグ/小タグ」という形式で入力することで、タグリストで見やすくなる。

まとめ

過去のレイヤー搭載ノートアプリの中では最も使い心地が良い！

これまでもレイヤー機能を搭載したノートアプリはいくつかあったものの、インターフェースが悪く使いづらかったり、動作が不安定なのが欠点だった。しかし、Notefulは大手グラフィックアプリやノートアプリとよく似たインターフェースを採用しているため、初めてでもすぐに使いこなすことができるだろう。また、動作が安定していて日本語メニューに対応しているのも魅力だ。

ただし、検索機能がほかのノートアプリと比べて充分でなく、テキストは検索してハイライト表示してくれるものの、手書き文字を検索できない点が課題だ。

このアプリのポイント

- ●無料でPDFの閲覧・注釈を入力できる
- ●高度な電子サイン機能が無料で使える
- ●優れた共有機能で他人とPDFをやり取りできる

PDFファイルを閲覧/注釈を入力するための無料アプリ

Adobe Acrobat Reader

契約書やアンケートの入力に便利な機能が無料で使える

「Adobe Acrobat Reader」は、iPadでPDFを閲覧・編集するためのアプリ。PDFファイルを開いてページの移動や拡大縮小、回転などの基本操作ができる。また、注釈機能も備えており、PDF上のテキストにハイライトや下線、書き込み、フリーハンドでの注釈、付箋などを追加できる。インターフェースはシンプルで、初めて利用する人でも使いやすい。

PDF Expert（70ページで解説）と同じく注釈一覧表示機能もあり、ファイル内の入力された注釈を素早く探すことも可能だ。無料版と有料版があるが、PDFの閲覧と注釈であれば、無料でずっと利用できる。有料版ではPDFの直接編集やPDFへの書き出し、パスワード設定なども行える。

PDF Expertとは異なり、無料版でも高度な電子署名機能が利用できる。タップ1つできれいにチェックマークやバツマーク、塗りつぶし点、直線、囲い込みなどを入力できる機能があり、契約書やアンケート、申込書などのフォームに手書きで入力したいときに非常に便利だ。また、手書きの署名を作成して保存し、何度も使い回すことができる。PDFへの署名を行う機会が多い人におすすめだ。

共有機能も優れている。編集したPDFファイルは、ほかのアプリと共有したりできるほか、Adobeのクラウドストレージにアップして、複数の人からコメントをもらい、注釈への返信を行うこともできる。ビジネスや学校で複数のユーザーとPDFを共有するときに役立つだろう。

Adobe Acrobat Reader
作者／Adobe Inc.
価格／無料（アプリ内課金あり）
カテゴリ／仕事効率化

※有料プランは月550円より、多数のプランがある。

Adobe Acrobat Readerのインターフェース

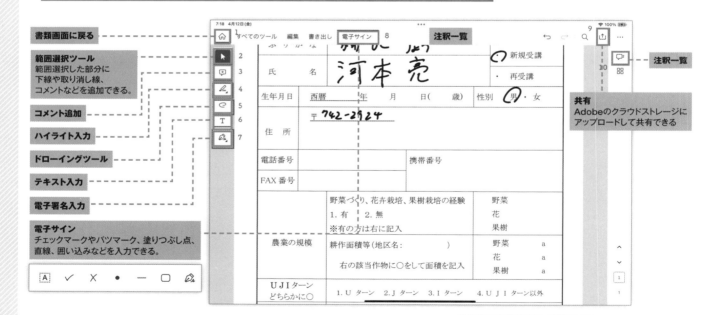

- **書類画面に戻る**
- **範囲選択ツール**
  範囲選択した部分に下線や取り消し線、コメントなどを追加できる。
- **コメント追加**
- **ハイライト入力**
- **ドローイングツール**
- **テキスト入力**
- **電子署名入力**
- **電子サイン**
  チェックマークやバツマーク、塗りつぶし点、直線、囲い込みなどを入力できる。

共有
Adobeのクラウドストレージにアップロードして共有できる

カラーや透明度、線の太さを選択

ツールは極めてシンプルだが、手書きでの注釈も普通に使える

こんな用途に向いている!
- ● 互換性が重視されるPDFへの注釈
- ● PDFへの署名
- ● 他人とPDFの共有

PDFをダウンロードして電子サインを入れる

ブラウザからPDFを読み込む 1

①共有ボタンをタップ
②「Acrobatで開く」を選択する

ウェブ上にあるPDFを読み込むには、PDFをブラウザで表示した状態で、共有メニューから「Acrobatで開く」を選択する。

電子サインツールを開く 2

①タップ
②利用するツールを選択する

上部ツールバーにある「電子サイン」をタップすると、電子サインツールが表示される。利用したいツールを選択しよう。

入力したい箇所をタップして編集する 3

タップしてサインを入力

入力したい箇所をタップすると電子サインが入力される。サインをタップするとメニューが表示され、サイズの変更できる。

注釈をつけたPDFをほかの人と共有する

共有メニューをタップ 1

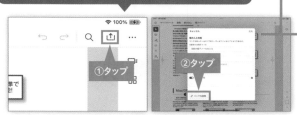

①タップ　②タップ

注釈を入力したPDFをほかの人と共有する場合は、右上の共有ボタンをタップし、「リンクを取得」をタップ。

共有手段を選択する 2

共有手段を選択する

共有リンクが作成され、続いて共有メニューが表示される。共有リンクを伝える方法を選択して、相手に共有リンクを伝えよう。

POINT Adobe Scanとの併用がおすすめ

書類スキャンアプリ「Adobe Scan」でスキャンして読み込んだ資料をAdobe Acrobat Readerの書類で管理できる。また読み込んだ資料の編集も素早く行える。紙の書類への署名、入力をApple Pencilでしたいときに便利だ。

まとめ

クライアントとPDFを共有して作業を進めるならAdobe純正アプリを使おう

PDFファイルはAdobeが開発したファイル形式なので、ファイルを扱う際の表示の安定性を重視するなら、Adobe純正のアプリであるAdobe Acrobat Readerを使用することをぜひおすすめしたい。特にクライアントとPDFを使って指示のやり取りをする場合は、入力した注釈の表示が乱れないように注意が必要だ。他社のPDF注釈アプリでは、注釈が意図通りに表示されない場合があるため、トラブルの原因となることもある。また、このアプリはほかのユーザーとPDFでの共同作業をするための便利機能が多数ある点も優れている。

iPadでPDFに注釈を入れたり編集することができる

PDF Expert

**入力した注釈が
どこにあるのか
一目でわかる**

「PDF Expert」は、iPadでPDFファイルを編集するための便利な定番アプリ。PDFファイルの閲覧、編集、注釈付け、署名、フォームの記入など、幅広い機能を備えている。Goodnotes 6やNoteshelfなどのノートアプリとは異なり、注釈を管理する機能が特に優れている。入力した注釈や手書きのメモはページ番号つきで整理されるため、どこにハイライトやメモをつけたのかを探し回る必要がない。ページのブックマークも可能で、検索機能も備えており、文書内のテキストをキーワードで検索して該当場所をハイライト表示してくれる。PDF Expertで入力した注釈は、パソコンやほかのPDFビューアでも表示できる。また、ビジネスシーンでよく使う「承認」「未承認」「機密」などのスタンプも利用できるため、クライアントとのPDFによるやり取りにも効果的だ。クラウドサービスとの連携も可能で、DropboxやGoogle Driveなどから直接ファイルを開いたり保存したりすることができる。

PDF Expertには無料版と有料版があるが、基本的な注釈機能（PDFの表示、ペン・消しゴム・マーカー・テキストボックスなど注釈機能）であれば、無料版でも問題なく利用できる。有料版ではPDFファイルの直接編集や、ページの並び替えなどが可能だが、そうした機能が必要ない場合は無料版がおすすめだ。

PDF Expert
作者／Readdle Technologies Limited
価格／無料（アプリ内課金あり）
カテゴリ／仕事効率化

※多数の課金プランがある。

PDF Expertのついて

PDF Expertの 無料版と有料版の違い

	無料版	有料版
PDFの閲覧	○	○
強調表示	○	○
ファイルのインポート	○	○
注釈、メモの追加	○	○
ページの並べ替え		○
機密情報の保護		○
PDFの編集		○
署名入力		○
PDFの結合		○
PDFの作成		○

無料版ではPDFファイルの読み込み、閲覧、基本的な注釈のみできる。編集やページの入れ替えなど高度な機能は有料版（無料7日間トライアルあり）を購入する必要がある。

使いやすい 手書きツール

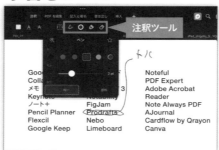

ペンやマーカー、消しゴムは詳細に設定可能で非常に使いやすい。

初回起動時に年額9,100円の有料版（PDF Expert Premium）の加入を促がすポップアップが表示されるが、閉じることで無料版を使い続けることができる。

入力した注釈を 一覧表示する

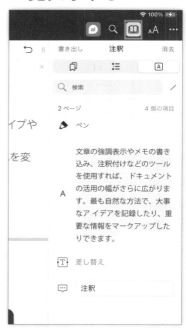

ビューア画面右上にある注釈ボタンをタップして「A」タブを開くと、入力した注釈を一覧表示してくれる。タップするとその入力場所へ移動する。

**こんな
用途に
向いて
いる!**
●PDFへの注釈
●ビジネス文書の管理
●PDFの直接編集

PDFファイルのテキストに強調表示やメモをつけよう

1 テキストを強調表示する

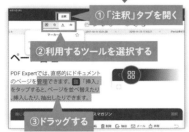

①「注釈」タブを開く
②利用するツールを選択する
③ドラッグする

「注釈」タブをタップするとツールバーが表示されるので、利用するツールを選択。強調表示したい箇所をドラッグすると注釈がつけられる。

2 メモを入力する

①メモアイコンをタップ
②メモを追加する場所をタップ

メモを追加する場合は、メモアイコンをタップして、メモを追加したい場所をタップ。ポップアップでメモが表示されるのでテキストで内容を入力しよう。

3 図形を入力する

①図形アイコンをタップ
②利用する図形を選択する
③ドラッグする

図形を入力するには、図形アイコンをタップして利用する図形を選択し、図形を挿入したい箇所をドラッグしよう。

PDF内から必要な情報をまとめよう

1 「書き出し」タブを開く

①注釈アイコンをタップ
②「書き出し」タブをタップ
③「書き出し」をタップ

注釈アイコンをタップし、「書き出し」タブをタップ。注釈の書き出し画面が表示されるので「書き出し」をタップ。

2 書き出した注釈一覧を共有する

共有ボタンをタップ

書き出した注釈一覧は書類に保存されるが、開いて右上にある共有ボタンからほかのアプリと共有することもできる。

3 検索機能を使う

①検索ボタンをタップ
②キーワードを入力

画面右上の検索ボタンをタップして、キーワードを入力すると、開いているPDFからキーワードに合致する箇所をハイライト表示してくれる。

まとめ

個人的な使用がメインなら機能と操作性の高いPDF Expertがおすすめ

PDFに注釈を入力できるアプリとしては、Adobe Acrobat Readerが一般的だが、注釈機能に限定するとPDF Expertの方が多機能だ。特に使いやすいペンツールや図形機能が魅力的といえる。また、ファイル管理画面のインターフェースはわかりやすく、ファイルの整理にも長けている。ファイルをフォルダで詳細に分類するだけでなく、ファイル表示も内容がわかりやすく、ファイルの圧縮や解凍などの複雑な操作もできる。書式に厳密なクライアントとのやり取りではなく、主に個人的な使用が多いならば、PDF Expertの方が快適に操作できるだろう。

このアプリの
ポイント
- 余計なツールバーを極力排除
- ペンと指の両方をうまく利用する
- 書き心地が抜群

ミニマリストのためのノートアプリ

Note Always PDF

**不要な部分を除去して
ノート作成時の集中力を
高めるのに特化されている**

「Note Always PDF」は、書きやすさとメモ作成に集中したノートアプリ。もともとシンプルさで人気のあった「Note Always」というアプリの第2段となっており、保存形式がPDFになっている。多くのツールバーを排除し、極めてシンプルな白いキャンバスのインターフェースだけとなっている。画面の上には3種類のペンカラーと戻る進むボ

タンが控えめに配置されており、思考を妨げず、集中力を高められる。
特筆すべきはペンの書き味だ。ゲルインクボールペンではインクがスムーズに出てくる感覚が楽しめ、滑らかで細かい筆使いが楽しめる。油性ボールペンでは色の濃淡やかすれを楽しめ、鉛筆ではカリカリとした描き味でありながら、軽く描くと柔らかくなる独特な感触を味わえる。これにより、紙とペンを使っているかのような書き心地を実現している。

書いた内容を削除するなど編集をしたい場合は、通常、Apple Pencilを持っている手と反対の手の指で操作する。入力した線を指でタップするとメニューが表示され、削除、太字、アンダーライン、コピーなどができる。指定した範囲をまとめて消去したい場合は、対象部分を指でジグザグにスクラッチしよう。また、画面を左右ドラッグすると次のページや前のページに移動でき、ピンチ操作でノート内のページを一覧表示することが可能だ。

Note Always PDFでは、投げ縄ツールは存在せず、対象を動かしたい場合はペンで、対象を囲むだけで書いて浮いた状態になったらペンを動かそう(対象が周りから独立していれば、真ん中をタップで選択することもできる)。

Note Always PDF
作者／Iways Sunny Ltd.
価格／3,000円
カテゴリ／仕事効率化

Note Always PDFのインターフェース

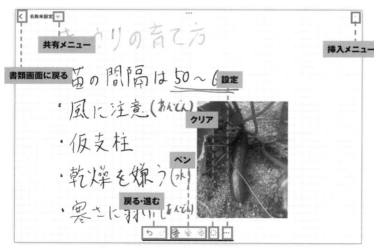

極めてシンプルなインターフェースで、文字はノートを拡大してもキレイに表示される。また、手書き文字の自然さを保ったまま、太字、斜体、アンダーラインをつけることができるのも特徴だ。

ジェスチャ操作で
ページを切り替える

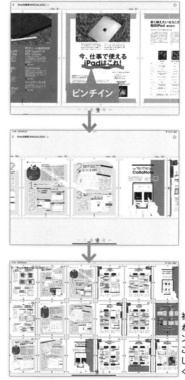

複数のページで構成されたPDFファイルはピンチイン操作を繰り返すことでサムネイルで表示してくれる数を増やしてくれる。

こんな用途に向いている!
- シンプルさを追求した手書きノート
- 紙とペンを使っているような書き心地を探している人
- ゴチャゴチャとしたインターフェースを使いたくない

指を使って手書き文字を編集しよう

手書き文字を消去する 1

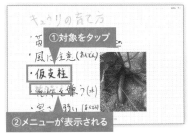

①対象をタップ
②メニューが表示される

手書き文字を編集したい場合は、対象の文字（文字列）をタップ。浮き上がった状態で下にメニューが表示される。ゴミ箱をタップすると削除できる。

オブジェクト消しゴムを有効にする 2

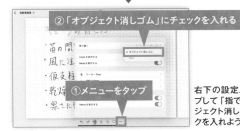

②「オブジェクト消しゴム」にチェックを入れる
①メニューをタップ

右下の設定メニューをタップして「指で書く」の「オブジェクト消しゴム」にチェックを入れよう。

指で直接手書き文字を消去する 3

指でなぞる

指でキャンバスをなぞると文字を消去できる。指の動きの速さにあわせて消しゴムの大きさが自動で変化する。

複数のページを開いて手書きする

ページを追加する 1

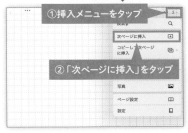

①挿入メニューをタップ
②「次ページに挿入」をタップ

Note Always PDFでページを追加するには、右上の追加ボタンをタップして「次ページに挿入」をタップしよう。

ピンチインして見開きにする 2

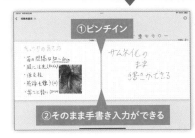

①ピンチイン
②そのまま手書き入力ができる

ページを追加したあととピンチイン操作をすると前のページと見開きで表示される。この状態でどちらのページにも手書き入力することが可能だ。

ツールバーの場所を変更する

POINT !

ツールバーは標準では画面下に設置されているが、長押しして浮いた状態にしたあと、ドラッグすることで好きな場所に移動することができる。

長押ししてドラッグ

まとめ

ミニマリストのための独特な設計でコアなユーザーから注目！

Note Always PDFは、多機能を重視するほかのノートアプリとは異なり、思いついたアイデアやメモをいかにスムーズに書き取れるかに焦点をあてた設計となっている。また、ペンも独特な描き味で、本当に紙とペンを使っているかのような感覚を与え、編集や操作もApple Pencilと指の両方を使いこなすことが前提となっている非常に個性的なノートアプリだ。ミニマリスト志向な設計で集中力を高められる。ただ、値段が高いのと現状、やや動作が不安定（環境にもよる）な場合があるので、これらが改善されれば、根強いファンを持つノートアプリとなるだろう。

このアプリの
ポイント
● サイズに制限がない無限キャンバス
● あらゆるファイルを追加できる
● カスタマイズ性の高い付箋機能

Apple純正無限ノートアプリ
フリーボード

**入力したアイデアを
さまざまな形で
編集するのに便利**

iPadOS 16から標準で搭載された手書きノートアプリ「フリーボード」は、「メモ」アプリや、ほかの手書きノートアプリと異なり、無限キャンバス（ボード）なのが特徴だ。余白がなくなったら二本の指でドラッグすることで上下左右に余白を追加できる。指先、またはApple Pencilを使って好きな場所に手書きで入力できるので、マイン

ドマップやブレインストーミングなどアイデア展開に最適だ。また、iCloudを利用してデバイス間の同期が可能で、MacやiPhoneでも手軽にアイデアを共有できる。このような便利な機能を無料で利用できる点は魅力的だ。

さらに、フリーボードでは手書きメモ以外にも、写真、ビデオ、オーディオ、書類、PDF、Webリンク、付箋などを追加することができる。挿入したメディアはサムネイルで表示されるので、一目で内容が

把握できる。ペンの種類は少ないが、Apple Pencilとの相性は抜群で、書き心地は良い。豊富なシェイプツールや配置ガイドを利用して、きれいな外観に整えることも可能だ。

フリーボードではボードの好きな場所に付箋を貼りつけることができる。付箋は好きな場所に移動させたり、サイズを変更することができる。また、ダブルタップをすると付箋上にテキストを入力することができる。付箋を移動する際

はテキストも一緒に移動させることができるので、複数のアイデアやメモをパーツのように並び替えたいときに便利だ。

フリーボード
作者／Apple
価格／無料

フリーボードのペンツールの使い方

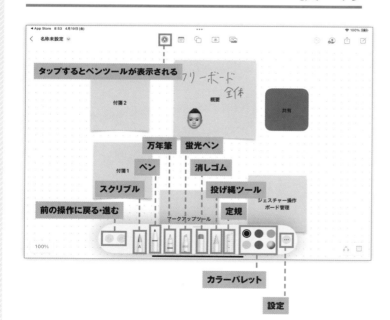

ペンの太さや透明度を変更する

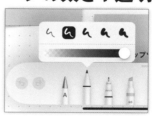

各ペンをダブルタップするとペンの太さやカラーの透明度をカスタマイズできる。

消しゴムの種類を変更する

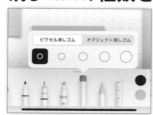

消しゴムは消去したい箇所だけをなぞって消す「ピクセル消しゴム」と消去したいオブジェクトをタッチして消す「オブジェクト消しゴム」が用意されている。

スクリブル入力の設定を変更する

スクリブルで日本語入力する際は、言語ボタンをタップして「日本語」にチェックをつけよう。なお、マイクボタンから音声でのテキスト入力もできる。

**こんな
用途に
向いて
いる！**
● アイデアを視覚化する
● アイデアを整理する
● 複数の人とアイデアを共有する

便利な付箋機能を使いこなそう

付箋を追加する 1

①付箋ボタンをタップ

テキストを挿入するには、ダブルタップします

②ドラッグして移動する

上部メニューから付箋ボタンをタップすると、ボードに付箋が表示される。ドラッグして好きな場所に移動できる。

付箋にテキストを入力する 2

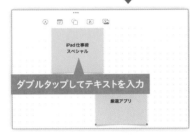

iPad仕事術スペシャル

ダブルタップしてテキストを入力

厳選アプリ

付箋をダブルタップすると付箋にテキストを入力できる。入力されたテキストは付箋を移動すると一緒に移動する。付箋には手書きでも入力できるが、付箋と一緒に動かすにはグループ化する必要があるので注意。

付箋を編集する 3

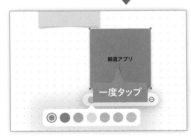

厳選アプリ

一度タップ

付箋を一度タップすると編集メニューが現れる。付箋のカラー、テキストスタイルの変更、付箋のコピー、削除などが行える。

写真やビデオをボードに直接貼りつけよう

挿入ボタンをタップ 1

①挿入ボタンをタップ

写真またはビデオ…
カメラ
②「写真またはビデオ」を選択
リンク
挿入元…

写真やビデオを挿入する場合は、ボード右上の挿入ボタンをタップして表示されるメニューから「写真またはビデオ」を選択しよう。

写真を編集する 2

②トリミング

①写真の置き換え　③フルスクリーン表示

挿入した写真をタップするとメニューが表示される。左端は写真の置き換え、左から2番目はトリミング、左から3番目はフルスクリーン表示だ。

ビデオを再生する 3

ビデオを挿入することもできる。サムネイル右下にある再生ボタンをタップするとボード上でそのまま再生できる。

まとめ

オフラインでも利用でき、個人的なメモやアイデアを練るのに便利

フリーボードとよく似たアプリは次のページで紹介するFigJamだが、両者には大きな違いがある。フリーボードで作成したボードはiPad上に保存され、オフラインでも利用できるのに対して、FigJamはインターネットに接続していない場所では作成したボードを取得できず、利用そのものができない。しかし、FigJamはオンラインを通じたほかのユーザーと共同作業に便利な機能を多数備えているので、どちらかというとFigJamは共同作業、フリーボードは個人的な利用に適しているといえるだろう。

このアプリの
ポイント
- ●サイズに制限がない無限キャンバス
- ●高度な投げ縄ツール
- ●複数のユーザーと共同作業ができる

「フリーボード」より多機能な無限キャンバスノートアプリ

FigJam

**投げ縄ツールで
囲みこんだ部分を
レイヤーとして利用できる**

FigJamは、Apple純正の「フリーボード」とよく似た無限キャンバス型のノートアプリ。ボードを開くと表示される用紙を指で左右上下にドラッグすることで余白を追加することができ、ピンチ操作で拡大縮小ができる。フリーボードと同じく付箋機能を使ったメモの入力が可能で、ボード上に追加した付箋は好きな場所に移動したり、カラーを変更できるので、ブレインストーミングなどで出したアイデアをあとで編集したいときに便利だ。また、アイデアを図にして整理するための図形ツールやテンプレートも用意されている。

FigJamは、ノートアプリで定番の投げ縄ツールが独特で、この機能を使いこなすのがポイントとなる。投げ縄ツールで囲い込んだ手書き入力の部分を「セクション」としてグループ化することができる。これにより、同じ箇所を編集する際に何度も投げ縄ツールで囲い込む手間が省ける。セクションは、レイヤー機能とよく似ており、好きな名前をつけることができ、非表示にしたり、ほかのセクションと階層的に重ねることができ、重ね順を変更することが可能だ。

共有機能もあり、FigJamのアカウントを持つユーザーとつながり、リアルタイムでボード上にアイデアを出し合ったり、プロジェクトのスケジュールを調整することもできるので、コラボレーションにも最適だ。

FigJam

作者／Figma Inc.
価格／無料
カテゴリ／仕事効率化

FigJamのインタフェース

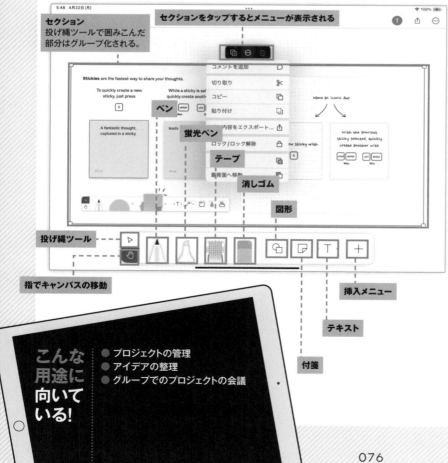

セクション
投げ縄ツールで囲いこんだ部分はグループ化される。

セクションをタップするとメニューが表示される

ペン

蛍光ペン

テープ

消しゴム

図形

投げ縄ツール

指でキャンバスの移動

挿入メニュー

テキスト

付箋

こんな用途に向いている!
- ●プロジェクトの管理
- ●アイデアの整理
- ●グループでのプロジェクトの会議

投げ縄ツールでセクションを作ろう

対象を囲い込んでセクションボタンをタップ

1

①投げ縄ツールをタップ

②対象を囲い込む

③セクションボタンをタップ

投げ縄ツールを選択して、対象を囲い込んだら表示されるメニューからセクションボタンをタップ。

セクションに名前をつける

2

名前をつける

青い枠線の囲みができたら左上にある名称フォームをタップしてセクションに名前をつけよう。

セクションをレイヤーの ように活用しよう

非表示にする

①セクションをタップ
②目玉ボタンをタップ
③非表示になる

セクションを非表示にするには、タップして表示されるメニューから、目玉ボタンをタップすると非表示になる。もう一度タップすると表示される。

カラーを変更する

2

カラーを指定する

セクションにカラーをつけて付箋のようにすることもできる。メニュー左端のカラーボタンをタップして、カラーを指定しよう。

階層を変更する

3

②「○○へ移動」を選択
①「…」をタップ

セクションは重ねることができる。階層を変更するにはセクションのメニューから「…」をタップして「○○へ移動」を選択しよう。

ほかのユーザーと 共同作業をする

ボードをプロジェクトに移動する

1

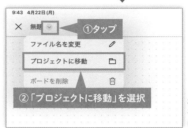

9:43　4月22日(月)
✕　無題
①タップ
ファイル名を変更
プロジェクトに移動
ボードを削除
②「プロジェクトに移動」を選択

ボード左上にあるメニューをタップして「プロジェクトに移動」をタップ。

移動先のプロジェクトを選択する

2

ファイル無題を移動する
①チェックをつける
taro yamadaのチーム
チームのプロジェクト
チームを新規作成
②新規作成する場合はこちら
③「移動」をタップ

移動先のプロジェクトにチェックをつけよう。新たにプロジェクトを作成したい場合は、「チームを新規作成」からプロジェクトを作成する。最後に「移動」をタップ。

ほかのユーザーと共有する

3

①共有メニューから共有リンクを作成する
②共有している相手のアイコンが表示される

右上の共有メニューから相手に共有リンクを伝える方法を選択する。相手が共有リンクを開くと共同作業が始まる。

ま と め

多様な デバイス環境で 共同作業をするなら FigJamがおすすめ

FigJamの競合アプリはフリーボードといってよい。どちらとも無制限キャンバスと便利な付箋や多彩な図形機能を搭載しており、複数のユーザーとアイデアを出し合いながらプロジェクトを進める使い方に向いている。しかし、共有機能に大きな違いがある。フリーボードはiPad、Mac、iPhoneなどAppleデバイスでしか利用することができないものの、FigJamはブラウザ経由でも作業ができるのでWindowsユーザーとも共同作業をすることが可能だ。

WindowsとAppleの両方の環境でメモを共有できる

Microsoft OneNote

**Microsoft純正の
手書きメモだから
Windowsと同期できる**

手書きアプリの大半は、作成したメモをMacをはじめAppleのほかのデバイスと共有することが可能。しかし、ユーザーの中にはメインPCにWindowsを使っている人も多いはず。手書きメモをWindowsと共有する機会が多い人は、Microsoftの手書きメモアプリ「OneNote」を使うといいだろう。

OneNoteはMicrosoft純正のノートアプリ。気になることをサクッとテキスト形式でメモすることができ、また手書き機能も搭載している。マイクロソフトアカウントでログインしていれば、Windowsに標準搭載しているOneNoteアプリとクラウド経由（OneDrive）でメモを同期することが可能だ。AppleとMicrosoftの両方のデバイスを利用している人に非常に便利だ。

ペン、鉛筆、マーカーの3種類の筆が用意されており、自由にサイズやカラーを変更することができる。投げ縄ツールを使って囲んだメモは、自由にカット＆ペーストしたり、サイズを変更することが可能だ。また、作成した手書きメモをセクションやノートブックを使って細かくカテゴリ別に分類することができる。

Microsoft製だけあって、プレゼンテーションファイルを添付したり、数式を入力したり、表を挿入するなどオフィス周りの機能が充実しているのも魅力で、作成した仕事関係の重要なメモにはパスワードロックをかけることも可能だ。

**Microsoft
OneNote**
作者／Microsoft
Corporation
価格／無料(App内課
金あり)
カテゴリ／仕事効率化

※無料で利用する場合は、OneDriveの無料の範囲(5GB)で利用する。Microsoft 365に加入しているなら(月額260円から)、データサイズを気にせず利用できる。

OneNoteのメニューを把握しよう

WindowsPCとメモを共有できる。

描画
手書きメモを行うにはここをタップする。

描画モード
スタイラスペンの持ち方の設定や、描画モードの有効設定ができる。

セクション
フォルダのようなもの。名前は自由に変更できる。

ページ
作成した手書きメモが一覧表示される。ページは各セクション間を自由に移動できる。

描画ツール
利用するスタイラスペンの設定が行える。ペンを長押しすると、カラーや太さを調節できる。

こんな用途に向いている！
● Windows環境とのメモのやりとり
● オフィスファイルをメモに添付したい
● メモ内容のセキュリティを高めたい人

OneNoteで手書きメモを作成して整理しよう

新規ページを作成して手書きする　1

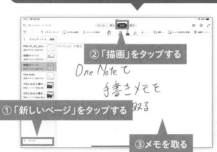

② 「描画」をタップする

① 「新しいページ」をタップする

③ メモを取る

「新しいページ」をタップする。ノートが起動したら上部メニューから「描画」をタップすると手書きモードに切り替わる。ペンを選択してメモを取ろう。

図形を自動的に修正する　2

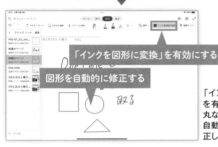

「インクを図形に変換」を有効にする

図形を自動的に修正する

「インクを図形に変換」を有効にして、四角や丸などの図形を描くと、自動できれいな形に修正してくれる。

なげなわ選択でカスタマイズする　3

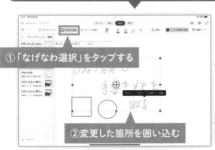

① 「なげなわ選択」をタップする

② 変更した箇所を囲い込む

手書きしたメモをカット、コピー、移動、サイズ変更などをするには「なげなわ選択」をタップして、変更したい箇所を囲い込もう。自由にカスタマイズできるようになる。

作成したメモにさまざまなファイルを挿入しよう

「挿入」からツールを選択する　1

「挿入」を選択して、添付するファイルの種類を選択する

ファイルを添付する場合は、上部メニューの「挿入」を選択する。とても多機能で「オーディオ」をタップすると録音が開始される。議事録の記録に便利だ。

オフィスファイルを添付してみよう　2

添付ファイルをタップするとメニューが表示される

エクセルやワードを添付する場合は「ファイル」を選択して、ファイルを指定する。添付ファイルをタップして現れるメニューからプレビュー表示することもできる。

POINT

マインドマップ作成にも便利

OneNote上でピンチイン・アウトするとキャンバスの大きさを360度方向に拡大縮小できる。マインドマップ作成などにも便利だろう。

ピンチイン・アウト

まとめ

Windowsやオフィスを日常的に使っている人におすすめ

日常的にWindows PCを利用しており、かつオフィスアプリ（Microsoft 365）を使っているなら、おすすめのアプリ。なお、iPad版のWordやExcelに搭載されている「描画」ツールとインターフェースは共通している。Windowsとの互換性以外の面では、数式や表を挿入したり、PDFはもちろんのこと、WordやExcelなどMicrosoftのオフィスファイルを添付できるのも便利。パスワード保護もできるので、漏洩するとまずいような重要なビジネス用メモの管理としても向いている。

このアプリの
ポイント
●付箋紙やポストイットのようにメモを管理できる
●あらゆるデバイスでメモを同期できる
●指定した時間や場所に近づくと通知してくれる

Google純正の手書きメモアプリ

Google Keep

付箋とよく似ているので視覚的に目的のメモの管理ができる

「Google Keep」は、Googleが提供している無料のメモアプリ。作成したメモはサムネイル形式で画面上に一覧表示され、各メモに対して11色のカラーを自由に設定できる。ドラッグ＆ドロップでメモの位置を自由に配置できるので、付箋紙やポストイットのような使い方をiPad上で実現できるのが最大の特徴で、視覚的にメモを管理したい人に便利だ。

基本はテキスト入力だが、手書き機能（図形描写）も搭載しており、Apple Pencilを使って手書きでメモを取ることもできる。利用できる機能は、ほかのノートアプリに比べて少ないが、3種類のペン、消しゴム、編集ツールなど基本的な機能は用意されているので、メモ程度の内容であれば問題ないだろう。

記録したメモは自動で利用しているGoogleアカウントのクラウドサーバに保存され、また、iPadだけでなくiPhone、Windows、Androidなどさまざまなデバイスと同期、閲覧することができるのが便利。

また、リマインダー機能を搭載しており、指定した日時や指定した場所に近づくとに通知してくれる。これらは、ほかの手書きメモアプリにはない独特な機能だ。

Google Keep

作者／Google LLC.
価格／無料
カテゴリ／仕事効率化

Google Keepで手書きメモを作成する

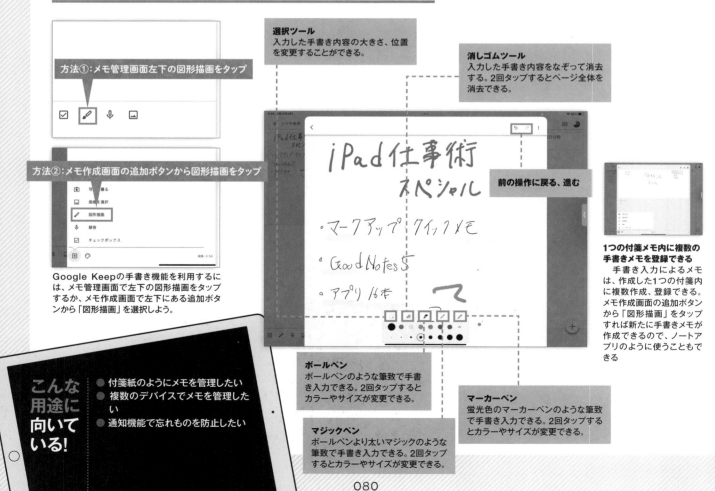

方法①：メモ管理画面左下の図形描画をタップ

☑ ✎ 🎤 🖼

方法②：メモ作成画面の追加ボタンから図形描画をタップ

- 写真を撮る
- 画像を選択
- 図形描画
- 録音
- チェックボックス

Google Keepの手書き機能を利用するには、メモ管理画面で左下の図形描画をタップするか、メモ作成画面で左下にある追加ボタンから「図形描画」を選択しよう。

選択ツール
入力した手書き内容の大きさ、位置を変更することができる。

消しゴムツール
入力した手書き内容をなぞって消去する。2回タップするとページ全体を消去できる。

前の操作に戻る、進む

1つの付箋メモ内に複数の手書きメモを登録できる
手書き入力によるメモは、作成した1つの付箋内に複数作成、登録できる。メモ作成画面の追加ボタンから「図形描画」をタップすれば新たに手書きメモが作成できるので、ノートアプリのように使うこともできる

ボールペン
ボールペンのような筆致で手書き入力できる。2回タップするとカラーやサイズが変更できる。

マーカーペン
蛍光色のマーカーペンのような筆致で手書き入力できる。2回タップするとカラーやサイズが変更できる。

マジックペン
ボールペンより太いマジックのような筆致で手書き入力できる。2回タップするとカラーやサイズが変更できる。

こんな用途に向いている！
●付箋紙のようにメモを管理したい
●複数のデバイスでメモを管理したい
●通知機能で忘れものを防止したい

Google Keepの基本機能を使いこなそう

作成したメモを色分けする　1

②カラーを選択する
①タップ

メモの背景色を変更するには、メモ画面下部のパレットボタンをタップし、変更したいカラーを選択しよう。背景に写真を設定することもできる。

作成したメモの配置を変更する　2

ドラッグしてメモを移動する

ピンをタップすると上部に固定表示できる

作成したメモはサムネイルで内容が表示される。各メモはドラッグして自由に位置を変更することができる。ピンを使って上部に固定表示することもできる。

通知を設定する　3

①通知ボタンをタップ

②時間や場所を指定する

指定した日時に通知してほしい場合は、メモを開き右上の通知ボタンをタップする。通知設定画面が表示されるので時間や場所を指定しよう。

手書きした文字をテキスト化する

画像のテキストを抽出する　1

①「：」をタップ
②「画像のテキストを抽出」をタップ

Google Keepには手書きした文字をテキストに変換する機能がある。右上にある「：」をタップし、「画像のテキストを抽出」をタップ。

テキスト化してくれる　2

テキスト化される

手書き文字を解析して、テキスト変換してくれる。変換された文字はキーボードで編集したりコピー＆ペーストすることが可能だ。

添付した画像に手書きもできる　POINT

Google Keepはメモに添付した画像に対しても手書きで注釈やメモを入力できる。画像を添付したあと、右上にあるペンアイコンをタップするとペンツールが表示される。

まとめ

Googleサービスを多く使っているユーザーにおすすめ

付箋のようなインターフェースも独特だが、なんといってもGoogleサービスの1つであるのがGoogle Keepの大きな長所だろう。紹介した機能のほかにも、日常的に多数の Googleサービスを利用しているユーザーにとっておなじみの「ラベル」「検索」「アーカイブ」「共有」などのメニューを備えており、GmailやGoogleドライブと同じような感覚 で直感的にメモを管理できるだろう。また、ほかのGoogleサービスとの連携性も高く、記録したメモを呼び出しやすい。コアなGoogleユーザーにおすすめだ。

アプリ名：AJournal
作者：WonderApps AB
価格：無料（アプリ内課金 350円/月から）
カテゴリ：ライフスタイル

対決!!

AJournal

手書き入力／デジタルカレンダー／カレンダー同期／Googleカレンダー同期／ToDo／表示ビュー変更／テキスト入力／画像貼りつけ／スタンプ／アイコン／タスクリスト管理／豊富なテンプレートなど

高度なカスタマイズ性を持つ
デジタルステーショナリー!

　紙の手帳からデジタルの手帳へ。この移行をおそらく最もスムーズに完了させてくれるツールがこのAJournal。自分だけの手帳をカスタマイズして作成できる自由度の高さが魅力的。

紙からiPadへ、そして手帳からデジタルプランナーへ。現代のスケジュール管理はデジタル化がマストとなっている。ここでは予定やタスクをiPadで効率よく管理できる「AJournal」と「Pencil Planner」という2アプリについて比較検証を行った。AppleやGoogleのカレンダーからの同期能力をはじめ、手書きの操作性や、ビュー表示の見やすさなど、多角的な視点で比較している。果たしてどちらが「最良のパートナー」となるのだろうか?

WARNING!!

ここでの両ツールの比較は、主にツールの機能面（機能の数、使いやすさ）で評価しております。アプリの書き心地やソフトウェアの安定性などは、使用者の好み、個々の環境による差があると思われるため判定には入れておりません。

アプリ名:Pencil Planner
作者:Wasdesign, LLC
価格:無料（アプリ内課金 550円/月から）
カテゴリ:仕事効率化

S Pencil Planner

手書きへのアクセス性の高いハイブリッドプランナー!

Pencil Plannerでは手書きメモが日、週、月の複数の表示にまたがって表示される。これによって手書きで追加した情報が散らばらないため、スムーズかつ効率的に手書きメモを活用できる。

手書き入力／デジタルカレンダー／カレンダー同期／Googleカレンダー同期／表示単位に合わせた手書きメモの同期／ToDo／ノートビュー／予定とノートのリンク／テキスト入力／タスク・リマインダー／

文●小暮ひさのり

AJournalの
カレンダー同期をチェック

AJournalではApple
カレンダーとの同期がベースとなる

まずは同期の使いやすさをチェックしてみた。AJournalでは、基本的にiPad標準の「カレンダー」と同期を行なうといった方式。初回起動時にカレンダーへのフルアクセスを求められるので、許可して同期するカレンダーを選択。基本的にすべてのカレンダーと同期して問題ないが、ビジネスの予定だけを管理したいなら、該当するカレンダーだけを同期してもいい。

一工夫するとGoogleカレンダーとも同期できる。これにはiPadの標準「カレンダー」アプリにGoogleカレンダーを事前に同期しておけばいい。こうして同期したカレンダーにはAJournal側から直接予定を追加できるのが優秀。複数のカレンダーアプリを使い分ける必要がなくなり、カレンダーの一元化を狙える。

1

ユーザー設定 (2/3)

"AJournal" がカレンダーへの
フルアクセスを求めています

AJournal can display user calendars
as part of the planner pages and
allow users to edit them along with
handwriting.

5月13日 月曜日

168件の更新の予定
カレンダーの予定には、場所、メールアドレス、メモなどの追加データが含まれる場合があります。

フルアクセスを許可

許可しない

「フルアクセスを許可」を選択

初回起動時に、カレンダーとの同期設定が表示される。標準カレンダーへの「フルアクセスを許可」を選択。

2

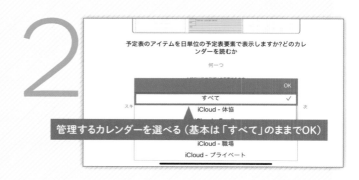

予定表のアイテムを日単位の予定表要素で表示しますか?どのカレンダーを読むか

何一つ

OK

すべて ✓

iCloud - 体協

iCloud - 職場

iCloud - プライベート

管理するカレンダーを選べる(基本は「すべて」のままでOK)

管理するカレンダーの種類を選択しよう。仕事用のカレンダーのみ選んで同期も可能だが、基本は「すべて」でいい。

3

キャンセル　新規予定

@gmail.com

iCloud

終日　　職場

開始　　消した案件

終了　　体協

移動経路　Family

繰り返し　✓プライベート

【超大事】仕事系

カレンダー

予定を追加するカレンダーを選ぶことができる

標準のカレンダーへGoogleカレンダーを同期しておくと、AJournal側でも扱えるようになる。

4

iCloudの開始

複数のiOSデバイス間でデータを同期できます。

iCloud Syncは、有効なサブスクリプションを持つユーザのみが利用できます。後でiCloud同期を有効にすることもできます。

iCloud 同期を有効にする

「…」→「iCloud同期」から(有料サブスクリプションが必要)

異なる端末間でメモを同期するには「iCloud同期」の設定が必要。ただしこちらは有料サブスクリプションが必要だ.。

PART 1

既存カレンダーとの
同期性能は？

同期の柔軟さはやや
Pencil Plannerが優れている

AJournalとPencil Planner、どちらのアプリもiPad標準の「カレンダー」アプリと同期するスタイルなので、同期の性能は同じ。……といいたいが、実際のところPencil Plannerでは、同期したあとにカレンダーを追加できたり、同期後に表示するカレンダーを選べるのが優秀。

また、Pencil Plannerは「リ

AJournal
VS

Pencil Plannerの
カレンダー同期をチェック

複数のカレンダーと細かく
同期して運用できる

　Pencil PlannerもAJournal
と同じく、標準の「カレンダー」アプ
リと同期してスケジュールを管
理している。Googleカレンダー

との同期方法も同じで、事前に標
準カレンダーと同期設定を済ま
せておけばいい。
　アプリ上からカレンダーを選ん
で予定を追加できるのも同じだ
が、Pencil Plannerでの予定の

追加はやや直感さにかけるところ
も感じた（87ページで解説）。
　一方で同期機能で優れている
と感じたのが、カレンダーの追加
や表示設定。追加したカレンダー
は「設定」→「カレンダー」から表

示・非表示を変更でき、ジャンル
に応じたカレンダーを新たに追加
することもできる。新しく立ったプ
ロジェクトに、カレンダーを分け
たい場合はこちらがスムーズだ。

1

こちらも標準の「カ
レンダー」と予定を
同期する方式。AJo
urnalと同じく、事前
に同期しておけば
Googleカレンダー
も管理できる。

**初回起動時にカレンダーへの
フルアクセスを許可しておく**

2

アプリ上から該当する
カレンダーへ予定を追
加・管理できる。またリ
マインダーへの予定追
加、管理も行える。

リマインダーのタスクも表示・管理できる

**リマインダーが
扱えるのが優位点！**

**予定を追加する
カレンダーを選択できる**

3

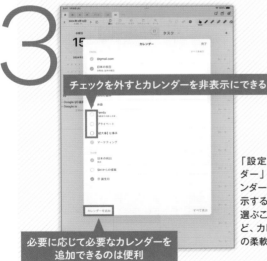

チェックを外すとカレンダーを非表示にできる

「設定」→「カレン
ダー」からは、カレ
ンダーの追加や、表
示するカレンダーを
選ぶことができるな
ど、カレンダー管理
の柔軟性が高い。

**必要に応じて必要なカレンダーを
追加できるのは便利**

4

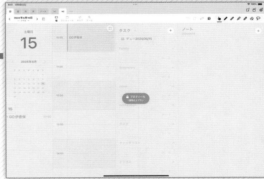

同期しても、一週間以上先の予定を表示・管理するにはサブスク
リプションが必要となる。本格運用するならサブスクは必須だと
感じた。

マインダー」とも同期でき、タ
スクやToDo管理もこなせる。
これらの機能によって、同期機
能の柔軟性は、明確にPencil Pl
annerが一歩上を行っている。
　なお、AJournalにもリマイン

ダーとの連携機能が設けられて
いるはずだが、今回試した限り
では、リマインダーとの同期は
できなかった。

評価

AJournal	★★★★☆	4.0
Pencil Planner	★★★★★	5.0

VS Pencil Planner

AJournalの予定の入力

直感的に予定を追加できる
優秀なインターフェース

AJournalで予定を管理するには、テンプレート内の「スケジュール」項目から。「タッチ操作」アイコンを選択後、予定を追加したいタイムラインをタップして予定を記入していく。

予定の名前などは、ソフトウェアキーボードや外付けキーボード、もしくはApple Pencilを使ったスクリブルでの手書き入力にも対応している。使い勝手が良いのはやはりスクリブルだ。

追加した予定は、タップすることで編集も可能。

予定を追加・編集するには「タッチ操作」アイコンをアクティブにするといったひと手間が必要だが、追加したい時間帯を選んで予定を追加でき、タップですぐに編集できる点は非常にスムーズ。予定管理の導線がしっかりと考えられていると感じた。

1

①タップ

②予定を追加したい時間をタップ

スムーズに
予定を追加！

画面右上のタッチ操作アイコンをタップし、予定を追加したい時間をタップすることで予定の新規作成が可能。

2

スクリブル機能で手書き入力が清書される

予定はキーボードからの入力、Apple Pencilでのスクリブル入力に対応している。

3

タップして予定の編集が可能

AJournalで追加した予定は、同じくタッチ操作アイコンが有効になっている状態でタップすると編集できる。ドラッグで予定を移動させるといったことはできない。

4

標準カレンダーと
同期

AJournalで追加した予定は、同期している「カレンダー」アプリの方にも自動で追加されるので、カレンダーアプリ（PCやWebアプリのカレンダー）からも予定を編集できる。

PART 2
予定入力のしやすさは？

どちらのアプリもペンから
手を離さず予定の追加が可能

どちらのアプリもスクリブルでの入力ができたのが嬉しい。iPadOSの機能なので、多くのアプリで利用できるが、ペンから手を離すことなく予定の入力までできるため、特にスケジュール管理アプリとの相性がいい。

一方で気になったのが、Pencil Plannerでの手順。カレンダ

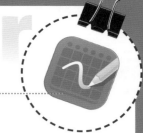

Pencil Plannerの
予定の入力

**リマインダーへも手書きで
タスクを追加できる**

Pencil Plannerでの予定の追加方法はやや特殊だ。カレンダーのタイムラインをタップしても予定は追加できず、右上の「予定の追加」ボタンをタップし、「新規予定」メニューから時間を指定する必要がある。追加したい時間帯に直接予定を追加できないので、やや直感さに欠ける印象がある。

また、追加した予定はタップから確認できるが、内容を変えるには「編集」ボタンをタップする必要があり、編集までに必要なタップの回数がやや多いのも気になった。

一方リマインダーに手書きでタスクを追加できるのはありがたかった。タスク内容をスクリブルで記入できるだけでなく、チェックボックスをタップして完了操作までできるため、1日のタスクを整理しやすい。

②キーボードやスクリブルで予定を追加できる

①予定の追加はこちらをタップ

Pencil Plannerでの予定の追加は「予定の追加」ボタンをタップ。こちらもキーボードやスクリブルでの入力が可能。

予定の変更するには、予定をタップしてから「編集」をタップする必要がある

追加されている予定はタップすると詳細表示。編集するにはこの画面で「編集」をタップする必要があり、2ステップ必要だ。

リマインダーも手書きで追加可能。
チェックボックスをタップしてタスクの完了もできる

リマインダーも手書きで入力できるのが優秀。予定とToDoとをペンから手を離さず追加・管理できる。

標準カレンダー
リマインダーと同期

Pencil Plannerから追加したタスク

Pencil Plannerから追加した予定

「カレンダー」アプリ

「リマインダー」アプリ

こちらも同期した「カレンダー」アプリにも予定が追加される。リマインダーも同様に同期しているので、予定やToDoが散らばらないのが便利。

ーのタイムラインへ直接予定の追加ができないので、やや直感さに欠ける印象を受けた。

なお、どちらのアプリも「予定をドラッグして時間帯を変更する」といった編集はできなかったのもやや残念。「カレンダー」アプリで多く使われる操作で、進行管理やリスケ時に多用しているため、この機能があればさらに+0.5点あげられるのだが……。

評価

| AJournal | ★★★★☆ | 4.5 |
| Pencil Planner | ★★★★☆ | 4.0 |

AJournalのデイリー、ウィークリー、マンスリービューの使用感

独立した表示でビューごとに情報をまとめられ

日、週、月、年、プロジェクトと、ビュー専用のページが用意されていて、それぞれに手書きでメモを書き込めるのがAJournalの特徴。フィーリングとしては、表示単位の異なるスケジュール帳を持っていて、それぞれをTPOに合わせて使い分けて運用するスタイルに近い。

書き込める領域が多いため、手書きをメインで情報を整理しやすいが、メモがそれぞれのビューに散らばってしまうため、メモが煩雑になりがちなのは一長一短。利用中に「あのメモどこに書いたっけ?」となることもあったので、メモの紛失を防ぐためにも、それぞれのビューで、どんなメモを取るのか? 自分の中でのルール付けをしっかりと行っておく必要がある。

1 日

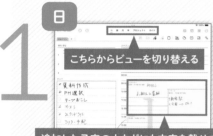

こちらからビューを切り替える

追加した予定の上などにも文字を載せて書くことができる

メモエリアが用意されているのが親切

基本となる「日」ビュー。1日の作業内容に集中した進行管理を行いやすいよう、スケジュールのタイムラインに加えてタスク管理領域、メモ領域が備わっている。

2 週

「…」→「設定」から曜日の始まりや休日・平日の設定が行える

「週」ビューでは、広い単位でのスケジュールを把握しやすい。日曜日スタートになっているが、週の始まりの曜日は変更できる。また、平日、休日の設定も可能だ。

3 月

日をまたいで手書きできる

シンプルなカレンダーライクな「月」ビュー。枠の制限なく手書きできるので、進行管理のため日をまたいでラインを引くなど、グラフィカルに管理できるのが便利だ。

POINT！

「年」表示での管理には別テンプレートの利用がおすすめ

年間カレンダーテンプレートも存在する

「年」ビューはタスクリスト表示だが、年間カレンダーもテンプレートに用意されている(テンプレートに関しては92ページを参照)。

PART 3 ビュー切り替えの快適性は?

手間の少なさを取るか安定感を取るか悩ましい…

手書きを複数のビュー間で共有できるPencil Plannerは、やはり手書きスケジュールアプリの理想だと感じている。ただし現状完璧ではない。

まず、ビュー表示のパターンが複数用意されているが、AJournalのテンプレートを構築できるほどの自由さはない。また、Pencil Plannerはインターフェース切替

AJournal vs

Pencil Plannerのデイリー、ウィークリー、マンスリービューの使用感

ビューをまたいで手書きメモを確認できる

Pencil Plannerの特徴は、複数のビューにまたがって手書きメモを確認できるところ。他のメモアプリでは、ビューが変わるとメモも新しく書き直しだが、こちらは「日」のメインイベント領域は「週」と「月」ビューでも確認可能。カレンダーのタイムラインは「日」と「週」のビューでそれぞれ確認可能。同じ内容のメモをビュー毎に書き直す手間がないので、手書きがさらに効率良くなった。

また、「V1」「V2」という表示フォーマットを選べるのもポイント。ここでは「V2」を紹介したが、「日」ビューに関しては、「V1」もおすすめしたい。広いノート領域や、目標立てのためのメモ領域が用意されているので、思考整理ツールとしても使いやすくなる。

「v1」「v2」の2種フォーマットが用意されている

表示レイアウトの変更

1

日

「日」ビューはタイムラインとタスクリストが表示され、1日の作業を一目で確認できる。上部アイコンから表示レイアウトの変更も可能。

2

週

「日」ビューで書き込んだ手書きメモ

Pencil Plannerの最大の特徴！

「週」ビューでは、「日」ビューのメインイベント欄に書き込んだメモが反映され、週の予定を確認しつつつ、その日のメモ内容もチェックできる。

3

月

「日」ビューで書き込んだ手書きメモ

「月」ビューは、前後の月のカレンダーも表示されるので、月またぎの予定をチェックしやすいのが便利。こちらも一部だが「日」ビューのメモを確認できる。

POINT !

「V1」フォーマットは思考整理や目標設定に便利

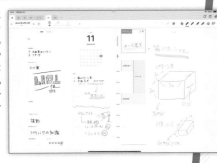

「日」ビューは「V1」フォーマットもおすすめだ。目標立てや1日の目標のメモ領域が設けられていて、思考を整理しやすい。

VS Pencil Planner

時やスリープ復帰時にレイアウトが崩れることが度々あるので、ビュー切り替えに関しては、もう少しブラッシュアップしてほしいというのが正直な感想だ。

ビジネスシーンで使うなら安定性を求めたいところなので、ビューごとに書き込みする手間こそあれど、ここはAJournal優位という評価をつけた。

評価

AJournal	★★★★☆	4.5
Pencil Planner	★★★☆☆	3.5

画面内のどこにでも書ける
AJournalの自由度の高い手書き機能

**手帳の「メモを取る」概念を
そのままデジタル化**

　紙の手帳の利点は、ページ上の任意の場所に書き入れることができる自由さにある。このメモを取る機能に関しては、手帳が優位に立っていることは間違いないが、AJournalはかなり肉薄していると感じた。

　AJournalでは、画面上部のツール欄以下、すなわちほぼ全画面にわたって手書きが可能。タイムラインやToDoリストなど、区切られた項目をまたいで書くこともできるし、スケジュールに追加されたイベントの上にすら文字を記入できる。このような手書きの自由度を提供するプランナーアプリは他にはなく、非常に珍しい存在だ。

　なお、時折ペンツールがどこかに行ってしまうこともあったが、これは「…」→「鉛筆ケースを表示（隠す）」から再表示できた。

AJournalの手書き機能
→シンプルなiPadOS標準ツール

AJournalでは、マークアップなどと同じ標準のペンツールが採用されている。シンプルだがペンの太さ・色を調整でき、ラインマーカーも利用可能。使わないときは画面の隅に最小化して待機させられる。

1

> ここから下はすべて手書き可能領域

> エリアをまたいだり、追加した予定の上に手書きメモを書くことも可能

AJournalは画面全体がキャンバス。最上部のツールエリア以外であれば、どこにでも手書きできる自由度の高さが光る。

2

> とにかく自由に手書きできる！

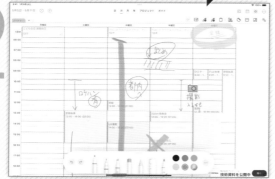

手書きの自由さは「週」や「月」ビューでも。日の単位をまたいでダイナミックに手書きでメモできる。

3

> ②手書きメモをコピペできる

> ①選択ツール

手書き文字はコピペできる。ペンを選択ツールに切り替えて、コピーしたい手書きを囲んだら、長押しして「コピー」。貼りつけたい場所で「ペースト」。

PART 4
手書き機能の操作性は？

わかりやすさとみつけやすさのどちらを重視するか？

　AJournalの「どこにでも書ける」仕様は紙の手帳に近い。ペンツールはシンプルで、ペンの太さや色のプリセット数が少ないのは弱点だが、iPad共通のインターフェースなので、直感的に使えると考えれば、メリットとなる。そして個人的にはこのシンプルさが気に入っている。

　一方で、ペンを細かく使い分

AJournal

vs

手書きメモと予定とを リンクできるPencil Planner

あのメモはどこ？ メモの紛失がなくなる

Pencil Plannerの手書き機能は独自のインターフェースで、画面右上に備わっている。ペン先の種類も豊富で、プリセットとして

の保存数も多い。しかし、このアプリの手書き機能の本懐は、手書きツール自体ではなく、手書きのメモと日付や予定とを関連付けできるリンク機能だ。

このリンク機能が活躍するのが、会議などでの走り書き。Goodnotesなどメモアプリを活用してもいいが、スケジュールとメモのアプリが分かれてしまい、アクセスが不便になる。その点、Pencil Plannerなら、メモから該当す

る予定を確認できたり、メモを作成した日付へとジャンプすることもできる。逆に、日付からその日作成したメモへのアクセスも可能なのが優れている。

Pencil Plannerの手書き機能 →カスタマイズ性の高い独自ツール

Pencil Plannerの手書きツールは画面右上に備わっている。ペン先の種類や色、サイズなどが豊富でプリセットも複数保存できる。

1

予定とメモをリンクできる！

ノートの「+」をタップ。リンクさせたい予定を選んでメモを作成する

「ノート」欄の「+」ボタンからリンクさせる予定を選び、「メモを作成します」をタップ。これで、予定とリンクさせたメモを作成できる。

2

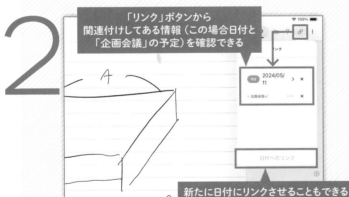

「リンク」ボタンから関連付けしてある情報（この場合日付と「企画会議」の予定）を確認できる

新たに日付にリンクさせることもできる

作成した手書きやテキストのメモが、予定や日付とリンクする。これによって、追加した予定に関するメモ、日付に関するメモにすぐにアクセスできる。

3

こちらからメモ（ノート）一覧を表示

その日にリンクされたメモを表示できる

メモは「ノート」タブからアクセスできるほか、イベント欄のリンクアイコンからも表示できる。

けたい人は、Pencil Plannerの方が使いやすく感じるかもしれない。また、手書きのメモと予定とをリンクさせて管理できるので、スケジューラーとデジタルメモアプリなど、複数に分か

れがちな「手書き」要素を集約できるのも魅力的。インターフェースが複雑なのでとっつきにくさがあるが、極めれば強いのはPencil Plannerなのかもしれない。

 評価

AJournal	★★★★⯪ 4.5
Pencil Planner	★★★⯪☆ 3.5

VS Pencil Planner

こんな手帳あったらいいな を叶えるAJournal

AJournal

vs

テンプレートを編集して
自分だけの手帳を完成させる!

　スケジューラーアプリは数多く存在するが、その中からAJournalを選ぶ理由は「こんな手帳が欲しい」を叶えてくれる高いカスタマイズ性にある。ページレイアウトが固定されているアプリが多い中、AJournalでは「テンプレートの管理」機能を通じて、多様なテンプレートから選んだり、要素をカスタマイズして自分だけのオリジナルテンプレートを作成することもできる。

　ビジネス特化のスケジューラーはもちろん、ダイエットのための食事メモや運動のメモ、予算管理など、自分に最適なスケジューラーを実現できるのが強い。

　ステッカーや写真を貼りつけられるのも情報整理に有利だ。有料のサブスクリプションを契約すれば、付箋が利用できてページも複数追加できる。

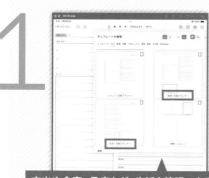

1 豊富なテンプレートが用意されており、「…」→「現在のページのデフォルトのテンプレートを変更する」で、テンプレートの変更が可能。

支出や食事+予定など、生活も管理できるテンプレートもあり

2 「…」→「テンプレートの管理」ではテンプレートの要素をカスタマイズしたり、白紙の状態から自分好みのテンプレートを作成できる。

自分に必要な要素を選んで追加

3

画像やステッカーを貼りつけられる!

画像を貼りつけられたり、ステッカーで装飾できるのもAJournalの強み。情報を見やすく整理する力に富んでいる。

POINT

サブスクリプションで 付箋機能が解放される

サブスクリプションがあると、ステッカー機能の拡張である付箋も利用できるようになる。バリエーションが豊富でワンポイントで使っていくと情報整理しやすくなる。

PART 5
マストとなる スケジューラーは?

手帳のデジタル化まずはAJournalから試して欲しい

　どちらもデジタルスケジューラーとしては優秀だが、結論を出さないといけない。ズバリ言うと、初めて手帳のデジタル化を目指すなら、AJournalを選ぼう。テンプレートをカスタマイズできたり、どこにでも手書きできる特性はシステム手帳にリフィルを追加・メモするようなフィーリングをアプリでもその

管理+生産性を向上させる
Pencil Planner

スケジュールとToDo管理とエディターの融合

Pencil Planner、実はメモ能力も優秀だ。前のページで解説したとおり、スケジュールとリンクできるので、その日の予定を見返せば、すぐにその予定とリンクした手書きメモやテキストを引き出せるのがとにかく便利。

特にテキストメモは文字装飾ができるので、筆者のようにテキスト執筆の機会が多い仕事をしていると、スケジュールとToDoや箇条書きのメモを管理しつつ、テキストも同じアプリで書けるという一元化は、作業効率アップに確実に貢献。近頃は、Blogの下書きまでこのアプリで済ませてしまっている。

惜しむべきは画像が貼りつけられない点。ここはPencil Plannerの明確な弱点だ。現状はSplit ViewやSide Overで写真を確認しながら利用している。

1

メモは「テキスト注釈」を選ぶとテキスト形式でのメモを作成できる。執筆と非常に相性が良かった。

> 「テキスト注釈」でテキスト形式のメモを作成

2

テキストメモでは箇条書きや簡易的な文字装飾も可能。Blogの下書きや報告書の作成で活躍する。

> 文字装飾などが可能

3

メモをフォルダで管理できるのも便利。案件に応じてフォルダを分けておけば、さらにメモへのアクセスが良くなる。

> エディタとしてもけっこう使える!

4

予定を確認しつつ、タスクリストにまとめた「書くこと」を参考にBlogを執筆。最近はこのスタイルが気に入っている。

VS Pencil Planner

まま受け取れる。コストも月額350円（年額3,100円）。手帳を購入するのとほぼ同額だ。

一方でPencil Plannerは、手書きがビューごとで同期された

り、テキストメモが強力だったりと、手書きの手間を減らしたいといったニーズに応えてくれる。業務によってはこちらも検討して欲しい。

  評価

AJournal	★★★★★★★★★★ ★★★★★★★☆☆	17.5
Pencil Planner	★★★★★★★★★★ ★★★★★★☆☆☆	16.0

手書きノート

超実践的!!

テクニック

iPad Free hand Writing SPECIAL Technique!!!!

さまざまな手書きアプリを紹介している本書だが、ここで、筆者（編集部・内山）が、長年iPadでの手書きツールを使ってきた中で生まれてきた、あまり一般的ではないものの、有効と思われるテクニックを一部紹介していこう。紹介しているテクニックは、仕事の都合上、出版、編集作業に関係したものが中心になってしまっているが、ほかの職種の方にも、なんらかのヒントになれば非常に幸いである。

01

販促素材に手書きを入れて
アピール感を上げる!

さまざまな商品の販促に使われる、ポスターやPOP、チラシ的なものは非常に多くの業界で幅広く作成されている。Adobe Illustratorなどで作るのが定番ではあるが、キッチリと作り上げるだけでなく、一部に手書きを入れることでより効果的な販促を行うことができる。

アプリには、PDFの注釈ツールとして定評のある「PDF Expert」を使っている (70ページで紹介)。

写真は、「ワンダーJAPON」という本のフェア用の販促POPだが、事前にIllustratorで画像や文字を配置して作成したものをPDF化しておき、そのあとで、中央に日本地図をPDF Expertで手書きで描き込んで入れている。地図が下手すぎるせいで、あまり効果的になっていないが(笑)、意図は伝わるのではないだろうか。

使用アプリ
PDF Expert

ベースの部分はAdobe Illustratorで作成し、PDFとして保存し、PDF Expertで開く。

中央部分に日本地図をフリーハンドで描き、点線などを入れて完成!

02

イベント用のカンペを作成して
現場で活用する!

製品発表などのちょっとしたイベントや、プレゼンテーションなどで、登壇者に残り時間や、発言してもらいたいことを伝える、いわゆる「カンペ」という存在がある。これをiPadで作成するのは非常に便利で、短時間で作成しないといけない場合にも、スケッチブックを買いに行く必要もなく、iPadに手書きでサクッと作成できる。

時間経過を登壇者に伝えるのはもちろん、重点的に説明してほしい内容、スルーしてもらいたくないポイントなど、想定される必要な情報をイベント開始前にささっと書いておけば、スムーズに伝えることができる。手書きノートの画面はスクリーンショットをとって写真アプリに保存しておけば使いやすいだろう。

使用アプリ
手書きノートならなんでもOK!

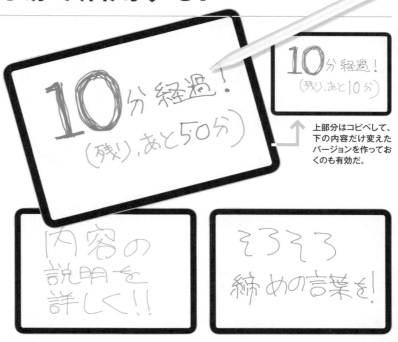

上部分はコピペして、下の内容だけ変えたバージョンを作っておくのも有効だ。

03 テキストの スクリーンショットを撮り 指示を書き込む

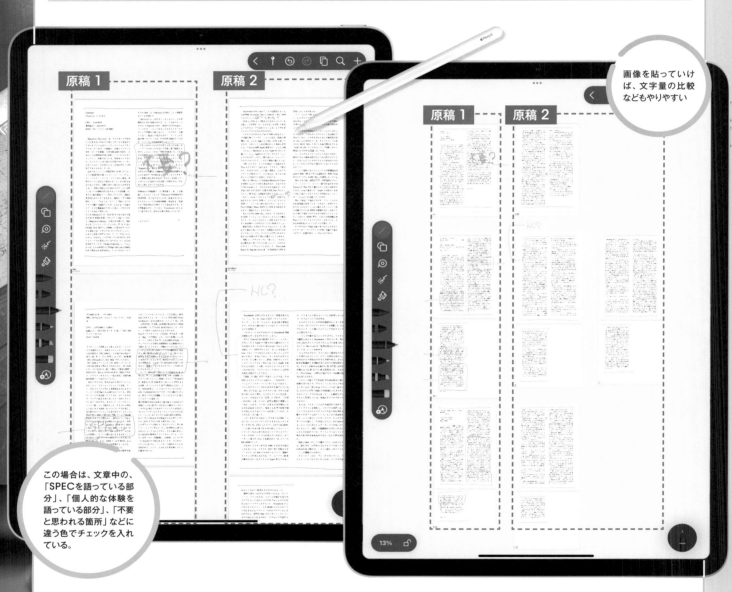

画像を貼っていけ ば、文字量の比較 などもやりやすい

この場合は、文章中の、「SPECを語っている部分」、「個人的な体験を語っている部分」、「不要と思われる箇所」などに違う色でチェックを入れている。

これはちょっとマニアックなテクニックになるが、複数のテキストファイルをWordなどの画面でスクリーンショットを撮り、ノート画像に貼り込む。そこで文字量や、統一すべき箇所、削るべき内容、共通で必要な要素などを書き込んでいき、全体の整合感を高める、というワザだ。

テキストエディタ、ワープロアプリだけで行うと、全体的なバランスをとるのが難しい上に複数原稿の比較もしにくいのでこの方法は有効だ。スクリーンショットなら、基本1行ごとの文字量が固定された状態になるはずなので、文字量の違いは一目瞭然であり、追加すべき量、削るべき量なども視覚的に判断できる。

使うアプリには、大量のスクショを貼って、管理できるという点で、ここ最近注目されている無限キャンバス系ノート「Prodrafts」がベストだろう。

使用アプリ
Prodrafts

04

カレンダー画像の
スクリーンショットを撮って
長期的なスケジュールを考える

画像を長押しして、「アクセサリをロックする」をタップすれば画像がロックされてずれない（再度長押しすればロックを解除できる）。

カレンダーの日付がダブっている部分はProdraftsの機能で隠せる

　長期的なプロジェクトになると、数ヶ月単位のスケジュールを考える必要がある。そういった作業に専用のアプリもあるが、ここでは比較的簡単にでき、見た目にもわかりやすい方法として、Googleカレンダーのスクリーンショットを撮り、それを手書きノートに貼り込み、その上に情報を書き込む、という方法を紹介しよう。これならば、数パターンの候補のスケジュールも同時に表示でき、比較しながら検討することが

できる。この場合も、無限大の表示ができ、画像を多く貼っても動作が安定している「Prodrafts」がアプリとしておすすめだ。貼った画像のロック、ロック解除も自在に可能なので、注釈と画像がずれる心配もない。

使用アプリ
Prodrafts

05

重要事項がひとめでわかるスケジュール表を作る!

重要な予定がわかるように、ペンの色や太さを変えて予定を書き込んでいこう!

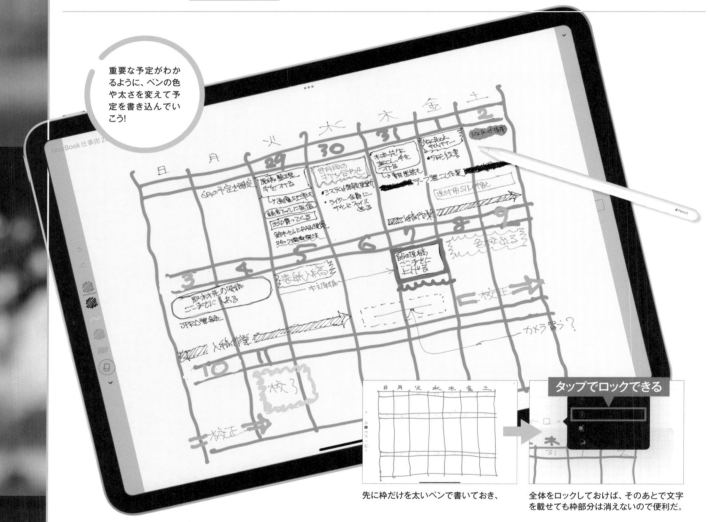

タップでロックできる

先に枠だけを太いペンで書いておき、

全体をロックしておけば、そのあとで文字を載せても枠部分は消えないので便利だ。

iPadにカレンダーやタスク管理アプリは多く存在し、どれも特徴があって有効に利用できるが、重要なイベントをできるだけ目立つように、また同時に、並行してやらなければいけないような作業をひっそりと忍ばせて書いておく……というような微妙なニュアンスを出すには、やはり手書きノートに自分がわかるように書きこんでいくのがベストだ。

文字の大きさや文字を囲むパターンの色やギザギザにしたりなどで、重要度のニュアンスを出しておけば、じっくりと時間をかけてスケジュール、タスクを確認しなくてもひとめでだいたいの重要なポイントが頭に入ってくる。また、この作業を手書きで行うことで、その時点での

やるべきことが脳内にインプットされる効果も見逃せない。

この手の作業には、レイヤー機能もしくは、描画オブジェクトをロックできる機能がある手書きノートがベストで、最初に枠線や曜日、日付を入れたら画面をロック、または別レイヤーにして予定を書き込んでいけばいい。今回はロック機能のある「Note Always」を使っている。

また、今回の画像ではそうなってはいないが、明らかに作業の詰まっている日程や週があるときは、最初の枠線を作る時点で、その週のスペースを大きくしておくと、さらに視覚的に作業量が把握できるのでおすすめだ。

使用アプリ
Note Always

06

テープ起こしはノートを最大限に拡大した状態で始めよう!

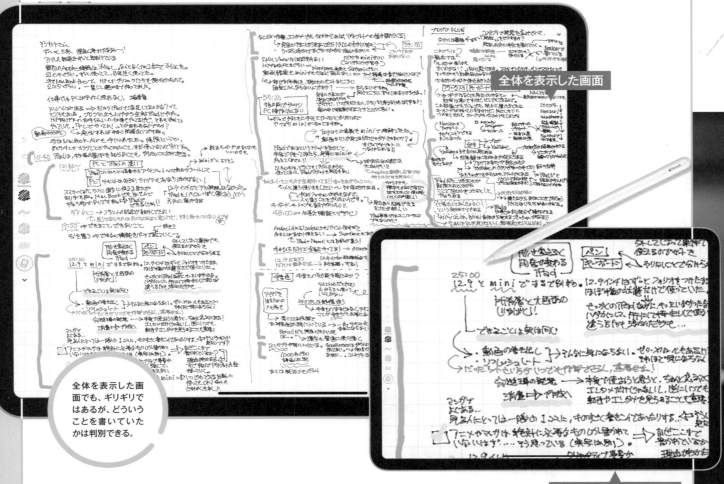

全体を表示した画面

全体を表示した画面でも、ギリギリではあるが、どういうことを書いていたかは判別できる。

最大限に拡大した画面

　議事録の作成や、テープ起こしなどの作業は、頭からテキストで書き起こす、自動である程度の精度をほこるアプリ（Nottaなど）を使うなど、さまざまな方法があるが、いったん手書きで全体のメモをとって、そのあとで必要な部分を取捨選択してテキスト化する……という形でやる人もいるだろう。

　その際の手書きでの下書きにも手書きノートは便利だ。こういう場合は、無限系ノートを使うのももちろんいいのだが、どこまでも書けてしまうがゆえに、iPadの一画面表示では全体の流れが把握しにくい、ということも起こる。そんなときに意外に役立つのが、手書きノートを最大限に拡大してから、文字を書いていく方法だ。文字はきれいに書かなくても、自分さえ判読できればいいので、スピード重視で、とにかく速くメモしていくことを優先して書いていけばいい。文字を小さめで書くと、筆記スピードが上がる効果も意外にあるので見逃せない。

　同じアプリばかりで恐縮だが、Note Alwaysで最大限に拡大して小さめの文字で書いていくと写真のような感じになる。一画面で全体を表示してもギリギリではあるが、どういうことが語られているのか、一応はわかる点が重要だ。あとは拡大しつつ、必要な箇所を重点的にテキストに起こしていけばいい。

使用アプリ
Note Always

人気デザインツールの最新機能を解説!
生成AIツールの最先端を堪能しよう!

Canva

....

誰でも簡単にデザインができる無料アプリとして
大人気の「Canva」、現在は生成AI機能を導入して
さらに進歩している。iPadの手書き機能に絞って
解説している本書だが、この進歩は無視できない。
ここでは、CanvaのAI機能を中心に紹介しよう。
なお、最新の機能のため基本的に有料プランで使う
機能が中心になっていることをご了承願いたい。

名前:Canvad
作者:Canva
価格:無料(App内課金あり)
カテゴリ:写真/ビデオ

....

文●河本亮

Canvaの ポイント

1 プロ仕様のテンプレートで誰でも簡単にデザインを作成できる!

プロのグラフィックデザイナーが作成したテンプレートを選択し、文字や素材を置き換えるだけで高度なデザイン制作ができるのがCanvaの最大の特徴だ。

2 1億点以上の素材が低価格で!いくらでも商業使用できる!

写真や図形、ステッカー、イラストなどの素材が1億点以上用意されており、商業使用も可能。わざわざウェブ上から素材を探す手間が大幅に省ける。

3 ポスターやチラシ、ロゴ、プレゼン資料、YouTube動画など幅広い用途に対応!

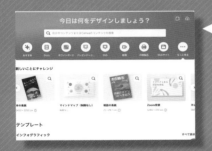

作成するデザインは用途に応じたサイズに自動で変換してくれるリサイズ機能が便利。サイズ調整に悩むことはない。

4 iPadだけでなくパソコンやスマホで同期して使える!

Canvaはパソコンアプリ版やスマホ版、ブラウザ版も用意されており、同じアカウントでログインすればどんな環境からでもデザイン制作が続けられる。

Canvaの 機能

AI生成／写真編集／動画編集／ロゴ作成／プレゼンテーションスライド作成／文書作成／オンラインホワイトボード／ホームページ作成／インスタ投稿作成・予約投稿／PDF編集／ファイル変換／印刷サービス／アニメーション作成／QRコード作成

※有料プランは、月額1,180円（年額11,800円）。ほかにもプランあり。

はじめてのCanva入門
Canvaの基本操作をチェック！

● ○ ○ ○ ○ ○ ○ ○ ○

1

キーワードで探す

カテゴリを探す

**利用する
テンプレートを探す**

Canvaを起動したらまずはテンプレートを探そう。上部の検索フォームからキーワードで探したり、カテゴリから用途別に探すことができる。

テンプレートを選択したら、テンプレート内のテキストをタップして編集しよう。また、左メニューの「素材」から必要な素材を探してドラッグ＆ドロップで追加しよう。

②ドラッグ＆ドロップで素材を追加する

①タップして編集する

2

**テンプレートを
編集する**

作成したデザインは右上の共有メニューの「ダウンロード」からファイル形式を選択することでiPadにダウンロードできる。

**①共有メニューを開き
「ダウンロード」を選択**

②ファイル形式を選択する

3

**作成したデザインを
保存する**

テンプレを使って文字や素材を入れ替えるだけで完成できる!
　デザインアプリといえば、高額で操作が難しいものが多い中、「Canva」は無料で、誰にでも簡単に使えるデザインアプリだ。プ

ロのデザイナーが作成した無料のテンプレートや素材から、自分好みのものを選び、テキストやカラー、イラストなどをカスタマイズするだけでよい。名刺やチラシ、企画書などビジネス向けから、メッセージ

カードやSNSの投稿画像など、プライベート向けまで、幅広い用途に対応したテンプレートが用意されている。さらに、Canvaで作成したデザインは、特殊なファイル形式に変換する必要もなく、写真や

PDF形式など汎用性の高いファイルに変換して端末に保存し、印刷することが可能だ。基本ツールの多くは無料で利用できる。有料版を利用する前に無料版で基本的な操作を押さえておこう。

Canvaを使うなら必須の便利テクニックはこれ！

○ ● ○ ○ ○ ○ ○ ○ ○

1

ブランドテンプレートに登録する

①共有メニューをタップ

②ブランドテンプレートを選択

作成したデザインをブランドテンプレートに追加するには、右上の共有メニューをタップして「ブランドテンプレート」をタップ。

3

テンプレートを公開する

フォルダーを指定したら、下の「公開」をタップ。デザインがブランドテンプレートとして公開された状態になる。

タップ

2

フォルダーに追加する

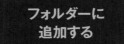

①「新規作成」をタップ

②フォルダ名をつける

フォルダ追加画面が現れる。「新規作成」をタップしてテンプレートを追加するフォルダを作成しよう。

左メニューから「ブランド」をタップして「ブランドテンプレート」を選択。追加したデザインをタップすると、そのデザインを流用して新しいプロジェクトを作成できる。

4

ブランドテンプレートを利用する

②「ブランドテンプレート」から追加したデザインをタップ

①「ブランド」をタップ

③作成したデザインを流用できる

● Planner for iPad

一度作成したデザインをほかのプロジェクトで使い回そう！

　Canvaで作成したデザインは同じプロジェクト内では複製して再利用できるが、別のプロジェクト内では、過去に作成したデザインを直接コピーして使用できない点が不便だ。しかし、ブランドテンプレートを利用することでほかのプロジェクトで作成したデザインを再利用することができる。ロゴ、カラー、フォントの一貫性を保ちながら、継続的かつ効率的にデザイン作成する人にとって、この機能は必須となる。なおブランドテンプレートは有料版でのみ利用可能で、有料版を購入したユーザーなら、知らないと損をするテクニックだ。ただし、ブランドテンプレートに登録すると共有状態になり、ほかのユーザーも使える状態になる点に注意しよう。

CanvaのAI生成機能①
「マジック切り抜き」

○ ○ ● ○ ○ ○ ○ ○

1

「マジック切り抜き」を選択

①「写真を編集」をタップ

②「マジック切り抜き」をタップ

編集したい写真を選択して、メニューから「写真を編集」を選択。「マジック切り抜き」を選択しよう。

2

対象をドラッグして移動する

①ドラッグして移動する

②背景を自動で生成してくれる

切り抜き対象を選択してドラッグしてみよう。単純に移動させるだけでなく、背景をAIで自動で生成してくれる。

3

選択した対象を削除する

選択した対象をタップして、右上にある削除ボタンをタップすれば、生成された背景だけを残すこともできる。

背景だけを残すこともできる

POINT
背景だけを除去したい

マジック切り抜きとは逆に、対象を切り抜いて背景だけを除去「背景除去」ツールもある。2つのツールをうまく使い分けるといいだろう。

「背景除去」をタップ

切り抜いたあとの空白の背景をAIが自動で生成してくれる

　Canva有料版にはデザイン作成をアシスタントしてくれるAI生成機能が多数搭載されている。数あるAI機能の中でも特に人気が高いのが「マジック切り抜き」だ。マジック切り抜きは、写真から範囲選択した部分を切り抜いて、移動させたりサイズを変更することができるツール。切り抜いた対象を編集するアプリはたくさんあるが、マジック切り抜きでは、切り抜いたあとにできる空白の背景を自動でAIが生成してくれる点が大きなメリットだ。被写体を移動させても違和感のない背景を生成してくれる。被写体の位置を微調整したいときに役立つだろう。なお、切り抜いた対象は削除することもできるので、背景写真だけ必要なときにも役立つ。

CanvaのAI生成機能②「マジック拡張」

○○○○●○○○○

1

マジック拡張を選択する

このように周囲に余白ができてしまう場合は、マジック拡張を使おう。「写真を編集」から「マジック拡張」を選択。

3

すると余白の部分を写真内容にあわせてAIが塗りつぶしてくれる。結果が気に入らない場合は、左メニューから写真を変更したり、作り直すことも可能だ。

AIが余白を埋めてくれる

2

拡張したい方向に枠を伸ばす

自分で余白の範囲「フリーフォーム」を選択して、写真周囲の紫の枠を余白を追加したい方向にドラッグしよう。

マジック消しゴムも併用しよう

写真から不要な部分を消去したい場合は「マジック消しゴム」を使おう。ペンでなぞった部分だけを周囲の内容にあわせて自動で修正してくれる。

POINT

● Planner for iPad

足りない背景をAIが分析して自動で拡充してくれる

　正方形の写真を長方形のフレームにコピーすると、画像のサイズとフレームの寸法と合わないため、周囲に白い余白スペースができることがある。余白にテキストや素材を追加して埋めてしまう手もあるが、写真だけを使いたいときは「マジック拡張」を使おう。

　「マジック拡張」は、写真の周囲にできてしまう余白を消去することができるAIツールだ。写真を分析してAIが自動で違和感のない余白を生成して埋めてくれる。生成結果に納得がいかないときは、何度も修正することもできる。自分で余白を埋める範囲を決める「フリーフォーム」のほか、ページ全体を埋めたり、1:1や16:9など比率を指定して余白を埋めることが可能だ。

CanvaのAI生成機能③
「カラー調整」

○○○○●○○○

1

調整タブを開く

②「調整」タブを開く

①「写真を編集」をタップ

編集したい写真を選択して、上部メニューから「写真を編集」をタップ。「調整」タブを開くと色調補正メニューが表示される。

2

エリアを選択して補正する

①補正したいエリアを選択する

エリアを選択

画像全体

画像全体

前景

背景

②指定したエリアのみ補正される

「エリアを選択」から色調補正したいエリアにチェックを入れる。すると指定したエリア内のみ補正が適用されるようになる。この画像では「背景」のみ補正している。

3

メインカラーを指定して補正する

①補正したいカラーを選択する

②指定したカラーのみ補正される

「カラー調整」で写真内のカラーがピックアップされる。補正したいカラーにチェックを入れると、そのカラーのみが補正が適用されるようになる。

写真内容にあわせて最適なカラーを自動で選択補正!

写真の色調補正をする場合にもCanvaは非常に便利。写真編集画面の「調整」タブでは、選択した写真の色合いを調整するさまざまな機能がある。ここでも、AIを利用した補正ツールがさまざまあり、たとえば、自動で写真内の前景と背景を自動で識別してくれ、エリア単位で色調補正することが可能で、自分で選択範囲を指定する必要がない。人物の色調はそのままで背景自然の色調を補正したいときに役立つだろう。

また「カラー調整」では、選択した写真から特によく使われ印象的であると思われるカラーを分析し、そのカラーをピックアップしてくれる。そして、ピックアップされたカラーのみを色調補正することが可能だ。

CanvaのAI生成機能④ 「マジック加工」

○○○○○●○○

1

「マジック加工」を選択

① 「写真を編集」をタップ
② 「マジック加工」をタップ

編集したい写真を選択して、上部メニューから「写真を編集」をタップ。「マジック加工」をタップする。

2

加工したい部分をなぞる

① サイズを選択
② 加工したい部分をなぞる

ブラシサイズを選択して、写真上の加工したい部分をなぞろう。

3

① テキストで置き換える内容を説明する
② タップ

追加したいものの説明を記入する

「編集内容を記入」に追加、または差し替えたいものをテキストで入力しよう。入力したら「生成」をタップ。

4

① 好きなものを選択する
② 選択したものに置き換わる
③ タップ

結果から置き換えるものを選択する

説明を記入した写真がいくつか表示されるので、利用したいものを選択。するとなぞった部分が置き換わる。「完了」で加工完了。

写真内の指定したエリアに新しくオブジェクトを追加!

写真から不要なものを削除する場合、マジック消しゴムを使えばよいが、別のオブジェクトに差し替えたい場合は「マジック加工」を使おう。編集したい部分をブラシでなぞり、その部分に追加、または差し替えたいアイテム名を説明入力するだけで、写真に新しいものを追加することができる。これまでのレタッチアプリのように切り貼りしてコラージュをしたり、スタンプツールでコピーする必要はない。また、オブジェクトの色や素材だけを変更することもできる。その場合は、「服を青色に変える」、「服が皮製に見えるようにする」と説明入力しよう。なお、旗、テキスト、顔、手などは正しく表示されない場合がある。

● Planner for iPad

CanvaのAI生成機能⑤
イラストから画像を生成できる！

○○○○○○●○

1

「アプリ」画面から
インストール

②「Sketch To Life」と入力

③Sketch To Lifeをタップ

①「アプリ」タブを開く

左メニューから「アプリ」タブを開く。入力ボックスに「Sketch To Life」と入力し、検索結果からSketch To Lifeをタップしてインストールしよう。

2

作成したい
イメージ情報を入力

①ペンでイメージを描く

②英語でイメージの内容を説明する

③タップ

キャンバスが表示されたら、ペンで作成したいイメージの抽象的な形を描く。続いて下の入力フォームで英語でイメージのキーワードを入力し、「Generate」をタップ。

3

作成したイメージが追加される

しばらくするとイメージが生成されて、キャンバスに追加される。作成したイメージは素材と同じように自由に編集することができる。

イメージが
生成される

4

マジック加工で修正する

カラーやちょっとした修正には、マジック加工を使おう。赤いリンゴにする場合は、日本語で「赤いリンゴ」と入力すれば加工してくれる。

マジック加工で
修正する

**まだまだAIツールはある！
便利な拡張機能を探そう！**

Canvaには標準で便利なAI生成ツールが搭載されているが、左メニューにある「アプリ」画面から、Canvaを外部サービスと連携させるための拡張機能を追加できる。膨大な拡張機能が用意されているが、おすすめは「Sketch to Life」だ、アプリを起動すると表示されるキャンバスにペンでイラストを描き、イラストの説明文を入力すると自動でイラストを作成してくれる。作成したイメージは現在開いているページにそのまま挿入することが可能だ。

なお、意外と見落としがちだがCanva自体にも専用の手書きツールは搭載されている。手書きイラストに自信がある人は、左メニューの「お絵描き」をタップして、表示されるペンツールを使って自作のイラストを作成しよう。

Canvaでも手書き描画の機能はバッチリ使える!

○ ○ ○ ○ ○ ○ ○ ●

1

「お絵描き」タブを開く

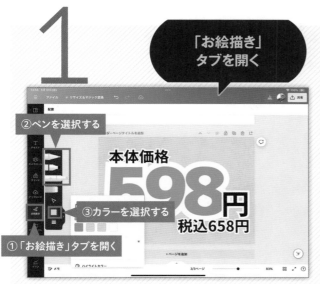

- ② ペンを選択する
- ③ カラーを選択する
- ① 「お絵描き」タブを開く

手書きツールを利用するには、左メニューから「お絵描き」タブを選択。ペンツールが表示されるので、ペンとカラーを選択しよう。

ペンの太さや透明度を調整するには、ペンを選択した状態でツールバー一番下のボタンをタップしよう。

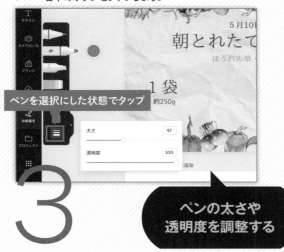

ペンを選択にした状態でタップ

3

ペンの太さや透明度を調整する

2

ページをスクロールする

- ① 有効にする
- ② スライドする

手書き機能をオフにしてページをスクロールしたい場合は、中央の矢印ボタンを有効にした状態にしてペンや指で上下にスライドしよう。

POINT

一筋ごとにレイヤーとして扱われる

手書きした内容は、一筋ごとに自動的にレイヤー化され、レイヤーごとに削除したりカスタマイズすることができる。ただし、サイズが巨大になるので適度にグループ化しよう。

レイヤーとして処理される

まとめ デザイン作成アプリとして人気だが可能性を秘めた手書きアプリでもある

Canvaは、無料で初心者でも使いやすいデザインアプリとして広く愛されているが、同時に手書きアプリとしても大きな可能性を秘めている。現時点では、ほかのノートアプリやホワイトボードアプリに比べて手書きに関する機能が少なく、Apple Pencilを使用した際の書き心地にも改善の余地がある。しかし、今後のアップデートにより、手書きに関する点も改善されれば、デザインアプリと手書きアプリが融合した化け物アプリに進化するだろう。特に、一筆ごとに自動でレイヤ一が生成される機能は、手書き文字の編集能力に大きな影響を与えるはずだ。来年にはCanvaがデザインだけでなく、手書きアプリとしてもトップクラスに君臨すると期待している。

iPad
仕事術!
SPECIAL 2024

iPad 仕事術! SPECIAL 2024

2024年6月10日発行

執筆
河本亮
小原裕太
小暮ひさのり

カバー・本文デザイン
ゴロー2000歳

本文デザイン・DTP
西村光賢

撮影
鈴木文彦(snap!)

協力
Apple Japan

編集人　内山利栄
発行人　佐藤孔建
印刷所:株式会社シナノ
発行・発売所:スタンダーズ株式会社
〒160-0008　東京都新宿区四谷三栄町12-4
竹田ビル3F
営業部:03-6380-6132

©standards 2024
Printed in Japan

◎本書の一部あるいは全部を著作権法および弊社の定める範囲を超え、無断で複製、複写、転載、テープ化、ファイル化することを禁じます。◎乱丁・落丁はスタンダーズ株式会社宛にお送りください。送料弊社負担の上、お取り替えいたします。◎本書に関するお問い合わせに関しましては、お電話によるお問い合わせには一切お答えしておりませんのであらかじめご了承ください。メールにて(info@standards.co.jp)までご質問内容をお送りください。順次、折り返し返信させていただきます。質問の際に、「ご質問者さまのご本名とご連絡先」「購入した本のタイトル」「質問の該当ページ」「質問の内容(詳しく)」などを含めてできるだけ詳しく書いてお送りいただきますようお願いいたします。なお、編集部ではご質問いただいた順にお答えしているため、ご回答に1〜2週間以上かかる場合がありますのでご了承のほどお願いいたします。

WARNING !!

本書掲載の情報は、2024年5月17日現在のものであり、各種機能や操作方法、価格や仕様、WebサイトのURLなどは変更される可能性があります。本書の内容はそれぞれ検証した上で掲載していますが、すべての機種、環境での動作を保証するものではありません。以上の内容をあらかじめご了承の上、すべて自己責任でご利用ください。

表紙、巻頭にご登場いただいたのは、フォトグラファー/モデル/YouTuberなどをやりつつ、企業の広報なども兼務しているという、とても多彩な活動をしている琴さん。YouTubeでは、カメラ、写真、Mac、旅Vlog、美容、ファッションなど、あらゆるジャンルの動画がラインナップされている。柔軟なフットワークを活かして、日々新たなことにも果敢に挑戦している!

X=pokesupa_koto
Instagram=koto0614
https://www.youtube.com/@kotochannelx

今回撮影にご協力いただいたのは、洗練されたアーティステックな雰囲気がありながら、とても居心地のよい、東京・四谷のフラワーショップ「JADE'R TOKYO (ジャデルトウキョウ)」。新しい感覚のデザイナーがセレクトした、斬新で個性的なお花を眺めたら、奥のゆったりしたワインバーで、ナチュラル系を中心にセレクトされたワインをグラスで楽しむこともできる。PCやiPadを持ち込み、ちょっとした作業を行うことも可能だ。

東京都新宿区四谷三栄町14-5
Flower shop　10:00〜19:00 (定休日 火)
Wine bar　14:00〜21:30 (Lo.21:00) (定休日 月・火)
Instagram=jadertokyo_flower
https://jader.jp/

絶 賛 発 売 中 !!

iPad仕事術! 2024

iPadを仕事にフル活用、または仕事をiPadで楽しく行うための解説書です。今、「iPadで使うべきアプリ」や、仕事を5つのカテゴリに分け、それに適したツールの使い方を解説しています。全国書店で購入できるほか、電子版でお読みいただけます。